1年仕事がなくても倒産しない経営術

坂口孝則

HAGAZUSSA BOOKS

はじめに～新型コロナウイルスが教えてくれた経営リスク

子どもの一言

「パパってバカなの？」

2020年3月、コロナ禍のなか、仕事がキャンセルになって帰宅し「今日も講演がキャンセルになっちゃったよ。何もできないね」と妻に落胆して話しかけた私に次男がそうつぶやいた。私は日ごろ子どもたちに **『できない』と言うな、『無理だ』と言うな。考えろ。考えない奴はバカだ」** と言い聞かせている。それは次男の、ささやかな私への反抗だった。

私の次男は異常なほどに明るく、そして騒がしい。「パパってバカなの？」と言ったときも満面の笑顔だった。すると長男も入ってきた。「何も考えていないんじゃない」。長男も笑顔を浮かべていた。

怒ろうと思った。しかし、考えてみるに二人の言うとおりだった。明らかに私はバカ者であり、思考停止の状態に陥っていた。「ああ、私ってバカだなあ。これまで子どもに言ってきたことと同じだし、それに、これまで経営で実践してきたことを徹底すればいいじゃないか」と私は思った。

人生とは不思議なもので、そのとき私は、日ごろの自分の教えを再認識するに至った。

すぐさま次の日から会社で話し合って、すべての戦略を変えると宣言した。**サービスをすべてオンライン化しよう。**また、**顧客名簿を使い、プライドや恥を捨てて「買ってください」とお願いしよう。この災害を乗り越えるためのレポートを明日中に書いて集客しよう。**割引販売しようがなんだろうが、できることはすべてやる。とにかく、すべての事業を入れ替えても存続のためになんでもしよう。

「とにかく生き延びるのが優先だ。稼ぐのはそのあとでいい」

結果、4月はほぼ売上をキープできた。そして次月以降の取り組みは、追ってご説明していきたい。高速ですべてをまわし、子どもからバカにされないように、自分自身が背中を見せるしかない。

たまゆらに取り憑かれた自己紹介

ここで私の自己紹介をしておきたい。私は大学を卒業した後、電機メーカーに入社した。その後、自動車メーカーに転職。ずっと、サプライチェーンや購買物流に携わってきた。そしてコンサルティング会社に入り、今は知人たちと経営コンサルティング会社を営んでいる。

私の父親は平凡なサラリーマンだったが、祖父は零細事業主で何をやっても上手くいかず、雀荘を経営して潰したあとは、牛乳瓶洗いの仕事をしていて、私も幼いころに手伝った記憶がある。私はそのころから、「**上手くいっていそうに見えても、そんなの儚いもの**だな」と思ってきた。

私の家系で大学まで卒業したのは、私と弟しかいない。本当にたまたまで、考えることだけで今まで生き延びてきた。なぜこうなったかは偶然としかいえない。だから、**人生はたまゆらではないか**という考えを払拭できない。

もしかすると、大げさにいうならば、起業家の子どもも、コロナ禍でそのような人生観の変化がもたらされるだろう。昨日まで羽振りの良かった父親が、急に「お金がない」「家賃の安いところに引っ越そう」「明日からは何も買ってやれない」と言い出すのだ。しかし、それは長い人生において、人生観の良い変化なのかもしれない。

２０１０年3月11日。東日本大震災が起きた。そのころ、私は前述のコンサル会社で勤務していた。２０１０年に勤務を始め、最初はひどい状況だった。そこから1年、七転八倒しながら、なんとか軌道に乗った。東日本大震災の前は、比較的に好調だった。しかし、3月11日を境に、すべてがキャンセルになった。

私は、社会人になってからも、人生がたまゆらではないかと考えることができた。**しょせん事業なんてリスクと背中合わせだと感じておくべきもの**なのだ。**上手くいっていそうに思えても、それはたまたま。災害ですぐさまダメになる。**

私はそこから、未来調達研究所株式会社という会社をつくった。これが前述の、知人とつくった経営コンサルティング会社だ。設立したころ、私たちはもっとバカ者で、会社を設立してホームページを作ったら仕事が来るものだと思っていた。しかし、会社を設立して、誰からも問い合わせは来ないと知った。本当に、その時点で知ったのだ。当初は、電話とホームページが壊れているのだと疑わなかった。

バカ者の自社ポリシー

私たちは、携帯電話から自社に電話をしてみた。つながった。スマホから問い合わせページにアクセスしてみた。たしかに、メールが届いた。なんてことはない、単に人気がないだけだったのだ。この現実を見るのは苦しい。しかし、**見たくない現実を見るところからしか始まらない**。これは私にとって重要なレッスンだった。

そこからどれだけ苦労をしたかは本書の趣旨ではない。やれることはなんでもして、ポツリ、ポツリと仕事が来るようになった。しかし、それでも私たちは安心できなかった。安穏ともできなかった。なぜなら、比較的に好調でも、それはたまたまのはずだから。

まわりには、私たちと同じくらいの売上や利益で外車に乗るような知人もいた。信じられなかった。もっといえば、私たちよりもバカ者なのではないかと思った。いまだに信じられない。私は、夜の街で飲み歩くこともなく、派手な生活をしたいとも思わない。まったく夢がない話だ。しかし、派手に夢見なければならない、という思考自体にも夢がない、と私は思う。

夜の街で、「社長!」と叫べば、大半の人たちが振り向く。だけれど数年後には、その社長たちは会社を倒産させている。経営とは、勝つ必要はなく、**負けないようにするゲーム**だ。

そこで私たちは、バカ者かつ臆病者なので、次のシンプルな問いを立てた。

「ある特定事業の売上が半分になったらどうしようか」

「ある特定顧客からの売上が半分になったらどうしようか」

「あるコストが倍になったらどうしようか」

平常時からこういうことを考えていた。それは私の人生では、必然だったのかもしれない。しかし、コロナ禍を例にあげるまでもなく、特定事業からの売上が半分になることは珍しくない。もっといえば、「100年に一度の災害です」といった出来事が、もはや5年か10年に一度くらい起きている。このリスクを考えないほうがおかしいだろう。

さらにはネット広告の例を出すまでもなく、コストが倍になった例は、枚挙にいとまがない。これらリスクを「あり得ない」と思考停止するのではなく、極限まで考えたあとで、「やっぱり起きなかったね。考えすぎでバカだったね」と笑うくらいがちょうどいい。

そして、私たちはこう考えた。

「1年間、まったく注文がなくても生き延びられるようにしようね」

この考えは、まったくバカげている。つまり、**1年の活動キャッシュフローを確保しておこうということ**だ。普通は、それだけの現金を有しているのは非効率だ。それならば、何かに投資して大きくリターンを獲得したほうがいいに決まっている。

なぜ1年間かというと、2年にわたって注文がなかったら、それは社会的に求められていないだろうから。これは苦しい道程だった。現在は偉そうに聞こえるかもしれないが、時代が変わったら、きっと再びバカ者といわれるに違いない。でも、私たちは昔から、**借金して投資して企業を大きくするのは終わりだと考えていた**。

人間は、なぜだか、組織を大きくしがちだ。人や設備や建屋を肥大化したがる。大きくすると利益額は増えるかもしれないが、利益率は下がっていく。もちろん会社をどうしたいか、趣味や嗜好によるだろう。でも、大きくなるほど、売上が止まったときのリスクも大きい。どうせ、今こんな仕事ができているのも、たまたまだ。それなら、常識の逆を行こう。それが逆説的にリスクを軽減することになるかもしれない。だから私たちは、**常に反成長志向、反効率志向をとってきた**。

特定顧客だけ相手にしていればいいのに、仕事を分散した。特定業務だけやっていればいいのに、サービスを分散した。本業だけやっていればいいのに、原稿を書いたり、研修を始めたり、講演を始めたり、メディアに露出したりし始めた。利益がすぐれたものだけをせずに、広く浅く手を伸ばした。効率さを捨て去り、面倒くさく、非効率的な、しかしリスクを軽減した仕事が残った。

いかにも計算したような言い方だが、実際は、経験からの弱さにすぎなかった。ただし、その弱さが、本書の執筆につながり、さらにリスク分散につながったかと思うと感慨深い。私は、子どもの文集にお父さんから一言書いてください、と言われて「みんなへ。人生で迷ったら、両親が反対するほうを選んだら、きっと正解だからね」と書いて顰蹙（ひんしゅく）を買ったほどだ。それくらい、みんながある方向に行くなかで、違う方向に進むことが、逆説的に安定性を保つ方法だと考えている。

日本では、餓死することはない。生活保護もあるし、自己破産すれば借金からも逃れられて、生きていける。これが前提だ。だから、どんなに苦しくても生き延びなければならない。そのうえで、稼いで自由に生きる魅力は最上なものがある。と同時に、自由とはたった1～2カ月の売上が落ち込んだだけで阻害されるような儚いものでもある。本書は、その儚さを前提に、ポスト・コロナをサバイブするための提言書として書いた。もし、バカ者かつ臆病者の経営術が、それゆえに読者の刺激となれば私は嬉しい。

2020年7月　坂口孝則

CONTENTS

CONTENTS

第2章 生き残るために——31

第3章 業界別の生き残り策

CONTENTS

第1章

なぜ企業は潰れるのか？

第１章をまとめると

通常の企業は数カ月分の事業資金しか確保しておらず、経営的には脆い

キャッシュ・イズ・キング。
現金をとにかく保有しておこう

危機が現れる順番は予期できるので、
早めに融資依頼に動こう

危機は好機。
危機のタイミングで事業を見直そう

とりあえず現金を残せ

「ウチは数週間の売上がなくなったら倒産するんだよ。それでも就職してくれる?」ためしに、新卒の就職面接で学生にこう聞いてみよう。あるいは転職希望者でもいい。就職試験は厳しい質問を投げかけるのが常だが、この厳しすぎる質問をしたら、きっと全員が就職を断念するのではないだろうか。

私はコンサルティングに従業していると言った。多くの企業人と触れ合う。そのなかには新入社員も多くいる。現在の新入社員は総じて優秀だが、「就職した企業の決算書を見たことがあるか」と聞くと、ほとんどは確認していない。確認するのはせいぜい「売上がどれくらいで、利益が出ていて」といった程度だ。

非上場の中小企業に就職する若者にとっては、そもそも決算書が公開されていないし、求人欄にあった「売上高○○億円」といった記載しか情報がない。非上場企業でも貸借対照表の要旨は官報等で公開義務がある。そこを見れば、保有現金の多寡がわかる。ただ、実態ではほとんどの企業は貸借対照表を公表していない。公表していて

表1 各業種の現金保有月数

業種	現金保有月数	業種	現金保有月数	業種	現金保有月数
石油製品・石炭製品製造業	0.2	製造業	1.7	生活関連サービス業、娯楽業(集約)	2.2
非鉄金属製造業	0.8	その他の運輸業	1.7	建設業	2.2
卸売業	0.9	電気機械器具製造業	1.7	金属製品製造業	2.3
鉄鋼業	0.9	全産業(除く金融保険業)	1.7	医療、福祉業	2.3
卸売業・小売業(集約)	0.9	宿泊業、飲食サービス業(集約)	1.7	印刷・同関連業	2.4
その他の物品賃貸料	1.0	業務用機械器具製造業	1.8	生活関連サービス業	2.4
ガス・熱供給・水道業	1.0	非製造業	1.8	はん用機械器具製造業	2.4
小売業	1.0	リース業	1.9	情報通信機械器具製造業	2.6
パルプ・紙・紙加工品製造業	1.1	窯業・土石製品製造業	2.0	漁業	2.8
食料品製造業	1.2	娯楽業	2.0	サービス業(集約)	3.0
電気業	1.2	化学工業	2.0	その他のサービス業	3.1
自動車・同附属品製造業	1.4	情報通信業	2.0	農林水産業(集約)	3.4
輸送用機械器具製造業(集約)	1.4	その他の製造業	2.0	鉱業、採石業、砂利採取業	3.5
水運業	1.4	生産用機械器具製造業	2.1	農業、林業	3.7
陸運業	1.6	宿泊業	2.1	その他の学術研究、専門・技術サービス業	3.9
飲食サービス業	1.6	広告業	2.1	不動産業、物品賃貸業(集約)	4.0
運輸業、郵便業(集約)	1.6	繊維工業	2.1	教育、学習支援業	4.1
物品賃貸業(集約)	1.7	その他の輸送用機械器具製造業	2.2	学術研究、専門・サービス業(集約)	4.7
職業紹介・労働者派遣業	1.7	木材・木製製造業	2.2	不動産業	4.9
				純粋持株会社	10.1

(財務省:法人企業統計から著者作成)

も、わざわざ官報から探し出して確認しようとする学生もいないだろう。

表1を見てもらいたい。これは、各業種がどれだけの現金を有しているか、その月商と比較したものだ。たとえば、年商12億円の企業があれば、月商は1億円。現金保有月数が1・0とすれば、その企業は1億円の現金を有していることになる。

これを多いと見るか、少ないと見るか。

ある企業は顧客が1社とする。そのとき、その1社からの支払いが1カ月焦げ付けば、厳しくなる。2カ月の収入が途絶えれば、窮地に陥る。もちろん金融機関からの融資はあるだろうが、厳しい状況は続く。

起業して会社を作って独立するブームが数年前に到来した。起業とは自由を謳歌するように思える。しかし実際、その自由とは、たったの数カ月の売上が途絶えただけで消えてなくなる。

ついでに各業種の損益分岐点比率（次項／表2）も見ておこう。

この損益分岐点比率とは、現在の売上高と比べて赤字になる売上高を示す。売上高が10億円の企業があり、損益分岐点比率が90％ならば、1億円の売上が減ったら赤字に転落する。慢性赤字の業界はそもそも100％を超えている。

表2 各業種の損益分岐点比率

業種	損益分岐点比率	業種	損益分岐点比率
全産業(除く金融保険業)	75.3%	ガス・熱供給・水道業	111.4%
製造業	71.8%	情報通信業	70.4%
食料品製造業	72.6%	運輸業、郵便業(集約)	79.0%
繊維工業	85.2%	陸運業	80.9%
木材・木製品製造業	64.4%	水運業	72.1%
パルプ・紙・紙加工品製造業	88.1%	その他の運輸業	74.0%
印刷・同関連業	98.3%	卸売業・小売業(集約)	74.8%
化学工業	59.5%	卸売業	67.3%
石油製品・石炭製品製造業	45.0%	小売業	86.6%
窯業・土石製品製造業	70.7%	不動産業、物品賃貸業(集約)	68.3%
鉄鋼業	82.8%	不動産業	62.8%
非鉄金属製造業	79.8%	物品賃貸業(集約)	81.4%
金属製品製造業	83.2%	リース業	80.2%
はん用機械器具製造業	69.6%	その他の物品賃貸業	84.3%
生産用機械器具製造業	62.5%	サービス業(集約)	85.1%
業務用機械器具製造業	69.7%	宿泊業、飲食サービス業(集約)	87.6%
電気機械器具製造業	75.7%	宿泊業	82.0%
情報通信機械器具製造業	76.2%	飲食サービス業	91.0%
輸送用機械器具製造業(集約)	67.6%	生活関連サービス業、娯楽業(集約)	75.3%
自動車・同附属品製造業	65.6%	生活関連サービス業	93.8%
その他の輸送用機械器具製造業	91.4%	娯楽業	63.5%
その他の製造業	76.6%	学術研究、専門・技術サービス業(主役)	83.0%
非製造業	77.0%	広告業	79.9%
農林水産業(集約)	79.9%	純粋持株会社	53.5%
農業、林業	70.6%	その他の学術研究、専門・技術サービス業	97.2%
漁業	121.9%	教育、学習支援業	70.2%
鉱業、採石業、砂利採取業	46.6%	医療、福祉業	91.8%
建設業	76.8%	職業紹介・労働者派遣業	92.5%
電気業	71.5%	その他のサービス業	88.9%

(財務省:法人企業統計から著者作成) ※固定費は人件費、支払利息等、減価償却費として簡易計算
※変動費は売上高から固定費と経常利益を引き算して計算

それにしても、損益分岐点比率が高い。コロナ禍で、相当な需要が減って赤字に転落する企業は多い。それは当然で、もともと損益分岐点比率が高いためだ。

世の中の変動はいつでも起きる。売上の数十％は上下する。それを不確実性といってもいいし、リスクといってもいい。上昇は嬉しい悲鳴だろうが、下落は哀しみの悲鳴になる。そして、**ほとんどの企業は下落に耐えられない構造を持っている。**

キャッシュ・イズ・キング

ジョージ・ソロスは「まずは生き残れ。稼ぐのはそれからだ」と喝破した。経営は勝つためのゲームではなく、負けないようにするゲームだ。そうすると、昔から言われてきた金言を思い返さなければならない。

「キャッシュ・イズ・キング」。とにかく現金を持っておかねばならない。現金は王様だ。私はこれまで多くの企業が倒産するさまを見てきた。販売戦略の失敗、在庫の持ちすぎ、ファイナンスの失敗、経営陣の無能……。原因はさまざまあるものの、直接的な要因は一つしかない。**結局は現金が枯渇して立ち行かなくなる。**

だから**経営者は危機時だからではなく、平時から現金をいかに残すかを考えねばならない**。ジョージ・ソロスの言葉をもじっていえば**「とにかく現金を積み上げろ。使うのはそれからだ」**となる。

ちょっとだけ解説をしておくと、企業の決算書は貸借対照表、損益計算書、キャッシュフロー計算書となる。キャッシュフロー計算書は上場企業しか作成しないから、経営者は貸借対照表、損益計算書を見る。貸借対照表は借入金や資本金、そして現金や資産などを示す。損益計算書はいくら売って、いくら利益を出したかだ。

ほとんどの経営者は損益計算書の最終利益を見るだけ。しかし、損益計算書は経営の実態を半分しか写していない。損益計算書は、売上高から売上原価を引いて利益を計算する。ただ、あくまで売上にかかったぶんの「原価」だ。売れなかったぶんは計算しない。そして、会計上は損金として認められないコストがある。お金は流出しても、決算書には反映されない。だから社長が会計士に「決算書の利益を見たが、こんな金額はウチの金庫には入っていないぞ」といった頓珍漢なやり取りが起きる。

そこで、**経営者は損益計算書ではなく、貸借対照表を見なければならない**。そこにはその時点の現金が書かれている。そして、資金繰り表を作成しよう。今、現金がいくらあって、何日にいくら出て、何日にいくら入ってくる。簡単な表でかまわないので、それを眺める。そうすると、危機時にはあと何日は持ちこたえるかわかる。平時にも、ギリギリの綱渡りをしているのがわかる。それが資金繰りの改善にもつながる。

その意味では、感覚的にはラーメン屋の店主のほうが鋭い。目の前の現金だけを信じて経営しているからだ。

会社にお金を残しすぎると税金の問題が出る。だから経営者の役員報酬として高く出す。それは合法であり、当然のことかもしれない。しかし、それも会社から預かっているお金と考えていたほうがいい。私の同業者で、自分の報酬を1000万円にしたので外車を買った、という人がいた。信じられない。その程度では質素に徹し、現金を残すべきだ。夢もない話だ。しかし生き残るためには、そうするしかない。

再びジョージ・ソロスの言葉では「とにかく生き残れ。稼ぐのはそれからだ」。

観光、小売、サプライチェーンに金融

新型コロナウイルスは完全に収束していない。終息はもっと先だ。だから教訓を引

き出すにはまだ早い。ただし、コロナが影響を与えた経緯は示唆的だ。

発生源は中国の武漢と確定していないものの、中国人の感染者があまりにも多く、世界を震撼させた。その後に、世界中の国々で国民が罹患していった。国と国は国民の往来をなくし、鎖国状態になった。

2020年1月のころはまだ牧歌的だったが、2月、3月、4月と経済活動がマヒしていった。まず打撃を受けたのは観光業だ。これは外国人が訪れないから当然だった。数年来「インバウンド需要を盛り上げよう」という掛け声のもと、日本は観光産業に力を入れてきた。しかし観光産業は、あっという間にその輝きを失っていった。

次に、飲食店が影響を受けた。観光客もやってこない。不要不急の外出がなくなった。さらには3密といわれて、感染のリスクがあった。ついでに、小売業が影響を受けた。スーパーマーケットを例外として、買い物を控えるようになった。たとえば、百貨店。次々に臨時休業を選択した。たとえば、衣類。着ていく場所もないのに買うはずはなかった。化粧品も、家にいるのであれば不要だった。

そのうちに中国や東南アジア、次にEU、アメリカ、南米などからモノや食品が入ってこなくなった。彼らはまともな経済活動ができなくなり、生産が滞った。世界に張り巡らされたサプライチェーンは一部が破綻しただけでも、全体に波及する。今回は一部どころか、ほぼ全世界がコロナ禍にあった。そこで日本企業の生産も中断した。

さらにそのあと、むしろ、モノが入ってこなくても問題がなくなった。なぜならば、頑張って生産しても、それを買ってくれるはずの顧客企業からキャンセルが入ったからだ。顧客企業も将来の見込みが立たなくなり予算を削りだした。

このコロナ禍で、多くの人たちが失業した。あるいは、今後の給料減を予想した。少なくともボーナスは激減か、なくなるはずだ。そして、耐久消費財を買い控えるようになった。耐久消費財とは、たとえば自動車や冷蔵庫など。使用期間が長い商品のこと。なぜならば、頑張ればもっと使えるからだ。

さらに企業の予算が削られると、教育費、コンサルティング費、宣伝広告費などの支出を抑える。また設備投資などを最低限にする。利益を少しでも確保するためには当然だ。

原稿の執筆時点では、自動車メーカーが軒並み減収減益を予想している。その下請け、孫請けで働いている人たちの被害は甚大だ。彼らは、さまざまな地域で経済圏を持っている。地元の商店への消費活動にも影響を及ぼす。

この次に、世界的な金融不安がやってくるだろう。新たな借り手はいない。さらに、貸した人たちが倒産する。こんな悪夢だ。

先手で動いた経営者たち

2020年1月。さきほど私は「牧歌的だった」と書いた。しかし、コンサルティング会社を経営する私の知人は即座に動いていた。彼は、全国の小規模事業者がクライアントだ。経営全般の相談や、メディア出演などを教示する。

小規模事業者の多くは、地元で小さな商いをしている。前述の順番でいえば、真っ先に影響を受ける。彼らが依頼するコンサルティングは、いわば贅沢品。事業が上手くいっていなければ、倒産回避コンサルティングや、銀行への負債返済猶予コンサルティングならまだしも、ブランディングのためのコンサルティングを緊急時に支払うはずがない。

そこで、知人は1月から準備を始め、2月には日本政策金融公庫から1500万円を借り入れた。次に地元の信用金庫から500万円。さらに、日本政策金融公庫へ追加融資を申し込み、4000万円を確保した。そして知人は年間の売上高分を確保した。報道などでいわれているとおり、ほぼタダに近い利息だ。しかも、通常であれば、絶対に通らないような融資案件だ。

さらには、補助金や助成金なども、すべてに目を通し、可能な限り、ダメ元でも申請している。生き残るために、先手、先手で動き出していた。なお、知人が借りたのは、年商相当額だ。知人の会社は二人で経営している。コンサルタントは彼一人だ。だから、理屈では、1年ほど仕事が完全にゼロになっても、知人の会社は倒産しない。

キャッシュ・イズ・キングと述べた。運転資金を確保する。資金の確保が優先。**そこには恥もプライドもへったくれもない。できることをなんでもやる。あとで、やりすぎだったと後悔するくらいでいい。後悔する、ということは生きている。**死んだら、後悔すらできないのだ。

「借りたお金はもらった、くらいの気持ちでいる」。とは知人の一言だ。きっと金融機関の人が聞いたら怒るだろうけれど、それくらい気持ちの平穏を保ったほうがいい。使い果たして返せなかったら自己破産するだけで、それは法的にも認められている。

自転車操業にスリルを感じる人もいるだろうが、やはり、キャッシュがあるかないかで心理的な安心感は違う。私たちの会社では、全国の会員にコロナ禍のアンケートをしている。いくつかの実例で「今回で、心がポキっと折れました」と回答があった。いろいろ経営的な施策をしなければならないのはわかっている。でも銀行口座から日に日に現金が減っている。もう耐えられない、というわけだ。だからもう廃業したい、と。日本では年間だいたい８０００社が倒産する。でも、休廃業は４万社に至る。**まず心の安心を得るために必要なのは、早めにお金を借りることだ。**

そのためには、平時から金融機関にお金を借りておくことだ。不要なら使わなければいい。利息分はもはや銀行との関係維持費用だ。それもそんなにかからない。いざというときに頼れるのは、お金の出元である銀行だ。飲食店であれば、行員さんにお願いをすれば店に食べに来てくれるだろう。しつこくお願いすればいい。そうすれば利息分は元を取り返せる。何より重要なのは、やりすぎなほどの早さとしつこさだ。

危機を好機と捉える組織づくり

任天堂は、運を天に任せるという意味を持つ。その意味で任天堂がいまだに運を天に任せているとは思わない。しかし、コロナ禍では、巣ごもり需要もあってラッキーだった。『あつまれ　どうぶつの森は』ダウンロードを中心に爆発的なヒットとなった。

ゲーム業界はたまたまともいえる。しかし、重要なのは、危機を好機と捉える組織風土の改革だ。ゲームは、家電量販店で売ることができなくなるかもしれない。しかし、ダウンロードで買ってもらえれば一気に売上を伸ばす可能性があった。ゲーム各社が、火事場泥棒のように、コロナ禍で一斉に、リアル店舗の宣伝広告費を引き上げてダウンロード一本に絞ったのは、ある意味、合理的だった。

また、事業内容をオンラインに大幅に変化させて生き残った塾やコンサルティング会社もある。それも、危機を好機ととらえる組織風土ゆえだ。

ここで覚えておくべきは、**サンクコストの概念**だ。サンクコストとは埋没原価（費用）と訳される。**支払ってしまったお金は戻ってこない**。それを後悔したって仕方がない。**昔を振り返るのではなく、その時点で最適な選択を模索するしかない**。

たとえば、サンクコストでもっとも有名な例は映画チケットだ。1900円を支払って、スクリーン前に座る。開始して数分で駄作とわかったらどうだろう。観ても時間の無駄になるのは自明だ。しかし、多くの人は払ってしまった1900円が惜しいからと我慢してエンディングまで付き合う。ただ、1900円はサンクコストであり、嘆いたところで返金されない。だから、つまらないとわかった瞬間に出たほうがいい。

事業でも、同じくサンクコストを意識していないと、負け戦から抜けられない。「先代から引き継いだ事業だから」「多額の投資をしてきた事業だから」「これまで社員が頑張ってきた事業だから」「時間をかけて用意してきた事業だから」……。いくつも、事業を継続するためには言い訳が用意されている。しかし、これらはすべてサンクコストだ。将来性がないのであれば、その時点で止めたほうがいいし、そのパワーは新たな可能性に賭けるべきものだ。

危機は変化のきっかけとなり得る。何も変化を起こさずに座していると、状況は悪化していくだけだ。同じことをして、違う結果を期待する——。これを間抜けと呼ぼう、と私の師は言った。違う結果を求めるならば、違う行動を起こさねばならない。

危機のときは、商品ラインナップをすべて変えるくらいの気持ちでいい。それくらいでなければ生き残れないだろう。強い者ではなく、変化に対応する者が生き残るのは、昔も今も一緒だ。

そこで、新しいことが思いつかない人に一言。**違うことをやれ、なんでもいいから。**

第2章

生き残るために

第2章をまとめると

とにかく動きながら考える、を徹底すべき。
今こそ企業基礎疾患を治そう

顧客を掴んで離すな！
経営は常に7つの鬼教訓を心する

感情から勘定。
顧客の生涯価値を計算してみよう

売上もコスト分散化。一極集中は
倒産リスクと背中合わせになる

まず変えるべきは放置してきた企業基礎疾患

企業がこれからも生き残るために、変わり続ける必要があると言った。悪いほうに変化するわけにはいかない。もちろん、良いほうに変化するべきだ。糖尿病などの基礎疾患がある人たちのなかには、新型コロナウイルスに罹患して重症化してしまった人もいる。経済的な危機が降り注ぐときも、**「企業基礎疾患」**ともいうべき弱点があるほど、回復が遅れる。

語呂合わせではないが、私がコンサルタントとして企業を観察するとき、よく見られる企業基礎疾患は次のようなものだ。

〈役員感染症〉

役員やトップが何かを語ったら、それを金科玉条のように扱い、腫れ物に触るかのように社員がビビっている状態。役員やトップも、たまには適当に語ったり、さほど考え抜かずに述べたりするはずなのに、その発言の否定が不可能な雰囲気になっている。役員やトップになんら反対しないイエスマンばかりが集まり、出世するようになる。そうすると、何かの発言に対して、理論的・論理的・事実としての正しさを確認しなくなる。また、調査をしたように見えても、結論ありきの報告書になっているケースがある。何を調査しても、トップの発言を裏付けるデータしか集めようとしない。
また、社員も諦めるようになり、自ら考えようとしない。社員に「どうすればいいと思うか」と聞いても、上意下達だけで動いてきたので、なんら意見を持っていない。

〈3密業務麻痺〉

特定の地場取引先とだけ付き合いをしている。まったく、販路や仕入先を拡大しようとしない。特定の業者と、密室・密談・密約だけで企業活動をまわしている。リスク分散もできず、局地的な災害が起きると、それだけで企業活動全般が麻痺してしまう。
中小企業白書では、経営者が加齢するほどに、企業としても新たな取引先を模索しなくなる傾向があると指摘されている。ただ、年齢も重要だが、そもそも販路・仕入先を拡大する志向にあるかどうかはかなり企業の文化差がある。

どうしても競争がない状況で安穏としていると、新商品やサービスも開発しなくなっていく。仕入先同士の競争もなくなると、価格も高止まりし、品質向上もあぐらをかく。やはり、３密業務はできる限り排除しなければならない。

〈ノロノロ病〉

以前、イスラエルに行ったとき、日本人の決定が遅いと皮肉を言われた。「日本人はNATOです」。もちろん北大西洋条約機構ではない。NO ACTION TALK ONLYの略だそうだ。笑ってしまった。しかし、笑うところではなかった。

新型コロナウイルスの影響が広がっているなか、企業はただちに、緊急事態宣言を関係者に発するべきだった。「需要が激減するかもしれない」「生産もそれにともなって激減する」「代案を考えよう」。こういう発言を初期の段階から社内外に対して発していれば、さまざまな道があっただろう。医療機器をいきなり生産するのは難しくても、マスクを生産して糊口をしのいだり、フェイスシールドくらいは作ることができたりしただろう。また小売店でも、早急にマスクを仕入れて販売したり、店舗を休業したりして備えたり、融資に奔走できた。

しかし日本企業の大半は、ずっと「影響範囲を調査中」といって、まったく緊急性を感じられない活動ばかりだった。その代わりに、報道では政府に対して、国民から動きが遅いと批判が集まっていた。はたして、他者を遅いと批判した人たちは、どれだけ速いスピードで対応策を練っていたのだろうか。

イスラエルの話に戻る。私が経営コンサルタントに従事していると言うと「愛知の自動車メーカーや自動車部品メーカーを紹介してくれませんか」と言われた。「いいですよ」と応じると、「今からメールを書いてくれませんか」と請われた。別件で、「社内で検討します」というと「いますぐ、その社内の方に電話してみたらどうでしょうか」と請われた。すべてがこのようなスピード感で進んでいく。

中小企業が大企業に勝つのは、「速ささえあればいい」という評論家がいた。まさしくそのとおりだ。大企業は優秀な人がたくさんいるのに、意思決定が遅すぎて話にならない。その代わり、中小企業はフットワーク軽く、いろいろなことができる。中小企業でゆっくりしていたら致命的だ。

イスラエルで会ったベンチャーキャピタリストは、徴兵時の経験を教えてくれた。

「入隊すると、ただちに鬼軍曹から、『半年以内にイランのサーバーをハッキングしてミサイルを止めろ』と言われました。2年間は地獄のような日々で、軍から退役した際には、ビジネスの世界が楽勝に思えました」と。彼からみると、日本企業はのろまの集まりのように見えるらしい。

また、いまだに日本企業では、何かの意思決定をする際に「他社はどうなんだ？　そういうことをやっているのか」と確認する。競争力を発揮するために、あるいは、他社とは違った特徴を出すためには、「他社がやっていないからこそ」やる必要がある。これは当たり前なのだが、この当たり前を理解してもらえない。いつまでも、横並び、前例踏襲ばかりだから、か弱い組織ができあがる。こういう企業ほど、ホームページやパンフレットに、「変化」「イノベーション」などと書いているので失笑してしまう。それを書いたコピーライターは自社への皮肉ではないかと勘ぐってしまうほどだ。

日本企業は、とにかく動きながら考える、を徹底したほうがいい。現在は、石橋を叩いても渡らない企業が大半でいただけない。危機は好機だから、企業基礎疾患を治すチャンスだ。同時に、強い経営基盤づくりのために必要な鬼教訓を、電通のそれになぞりながら説明しておきたい。

企業が考えておくべき「鬼教訓7つ」

❶顧客は創造するものであり、与えられるものではない

伝説の経営コンサルタントに故・一倉定先生がいる。氏は過激、かつ情熱的で知られた。いまだに全国にファンが集っているほどだ。氏は卓見をいくつも残しているが、私が個人的に印象的なのは、**顧客創造のための茨の道を進め**と進言していることだ。

世の中には、いわゆる顧客獲得の努力を怠っている企業が多い。なぜ顧客獲得をしなくても大丈夫かというと、下請けの仕事をしているから。あるいは、特定企業の仕事だけをしているから。また商社などから定期的に仕事を紹介してもらえるから。

潜在顧客獲得にはコストがかかる。かつ、仕事になるかはわからない。非効率的な側面もある。だから目の前の仕事に没頭しておいたほうが得策ともいえる。ただ、それは一本足打法になるのでリスクは高い。

▼**下請け仕事**：効率良い　利益率普通　リスク高い

▼**自ら販路開拓**：効率悪い　利益率良い　リスク低い

ここで、私たちの話をしたい。私たちは、だいぶ前に特定の1社から多くのコンサルティング業務を受注していた。ただどんなコンサルティング会社でも、数年以上受注するのは難しい。なぜなら、担当役員が変わったり、予算が削られたりするからだ。

実は仕事を受注していたころから「長くは続かないだろうな」と思っていた。その仕事だけに集中するのはいいが、あるとき終わったら、明日からの収入が途絶える。どうすればいいか。答えはわかっていたにもかかわらず、周囲に相談した。やはり「分散するしかない」だった。

言うのは簡単で、実行するのは難しかった。その特定1社に依頼して、業務を徐々に減らした。売上は下がった。大変だった。ただ、その間に、**新たな事業を開発したり、個人向けのコンテンツや商材を作ったりした。**繰り返すが、大変だった。数年かけて、やっと私たちは**安定性を獲得した。**1社から仕事が来なくなっても大丈夫な仕組みだ。

ところで、私は「下請け仕事はダメだ。自ら販路開拓だけをやれ」とは言っていない。「法人向けではなく、個人向けが正しい」とも言っていない。どちらかに偏るのは、結局リスクを高めるのだ。だから、どちらかが答えではなく、「どっちも選ぶ」のが正解だ。よく戦略は「あれか、これか」と考える人がいるが、**経営においては「あれも、これも」が正しい。**

話が変わるようだが、コロナ禍で私はメディアなどで「ライブハウスを守れ」と発言してきた。原稿もいくつか書いた。それは自分自身の経験として若い頃から現在にいたるまで入り浸っていたからだ。

そうするとある人から「でも、Aというライブハウスが潰れたって、Bというライブハウスでアーティストの演奏を観られればいいんじゃないか」と言われた。半分反対だったが、半分賛成だった。というのも、素晴らしいライブハウスがあるいっぽうで、多くのライブハウスは単なる場所貸しの機能しか有していない。ライブ参加アーティストに集客を丸投げし、さらに、ステージや飲食、その他の特徴もない場合がある。アーティストには客がつくが、ライブハウスには客がついていない。

これも集客を放棄したライブハウスの悲劇だ。素晴らしい空間を作り、魅力をあげ、シーンを盛り上げてくれたライブハウスは私も応援したいと思う。しかし同時に、いわれてみれば、助ける動機のないライブハウスがあるのも事実だった。

自ら販路を開拓できれば――それは自社が他者にとって魅力的になる、という意味にほかならないが――危機に際してもその顧客をたどってなんらか販売できる。集客を放棄していたら、危機には脆い。
茨の道を進むことは、それなりに胆力を鍛えてくれる。

❷単価の高い商品を扱え。単価の低い仕事は従業員をも小さくする

何も顧客に不当な価格で請求しろ、という意味ではない。これは誤解なきよう。

村田製作所という会社がある。チップコンデンサなどスマートフォンなどには欠かせない製品を販売している。私も付き合いがある。あのチップコンデンサーは一つ1円もしない。あれが何百億個、何千億個と売れていく。利益も出る、優良企業だ。

しかし、その手法は大企業だからできることで、本書の読者として想定する中小企業や個人事業主の場合は、かなりの困難さがつきまとう。例として、10万円の商品を一つ売るのと、1000円のモノを100個ほど売るとする。10万円のチケット1枚と、100円のチケット1000枚でもいい。私の経験則では、10万円一つのほうが簡単だ。さらに労力も少ない。

私たちは、高額商品が売れなくなることも想定して、両方を販売している。ただ、そ

の場合は、主力を高額商品にするべきだ。もちろん、それは労力軽減もあるが、過程のなかで発見したことがある。それは、高額なサービスを扱う以上、しっかりと品質向上に努めなければならないと意識しだす点だ。

もちろん、誰だってお客から1円いただく以上、手抜きはしない、というだろう。私だってそうだ。しかし、やはり高額の場合は心持ちが異なる。以前、経済学者と呑んでいたら、講演の話になった。講演料金の多寡でやる気が変わるか、という質問に、氏は「当たり前じゃないですか！」と即答した。さすが経済学者。金銭インセンティブの、なんというわかりやすさ。氏は「実はねえ、講演料金を質問したら、主催者が『2くらいですねえ』と答えた講演会がありました。『2万円かあ』と思ったら、翌月に20万円が振り込まれていました。あのときほど、もっと真面目にやればよかったと反省したことはありませんね」と教えてくれた。

ところで、コロナ禍以降はご無沙汰しているが、新宿の歌舞伎町に行く機会があった。私は連れて行ってもらう立場なのだが、そこでの客層に発見があった。たとえば、銀行員、コンサルタント、メディア、広告代理店勤務、といった人はほとんど出会ったことがない。圧倒的に、中小企業の不動産業者が多い。「一つ家を売ったら1000

万円が利益ですから」と何度も聞かされた。別に歌舞伎町に行きたい人も多くないだろうが、なるほど、やはり高額商品を売っている人が多いのだな、と思うに至った。

なお、マーケティングのグル・神田昌典さんは大意で、**「ビジネスパーソンは初めて扱った商品の価格に、ずっと影響を受ける」**といっている。そのとおりだと思う。たとえば、出版社出身の人たちは、原稿を何万円かで書く、というパラダイムのなかにいるから、独立しても一仕事何万円かの世界に居続ける。

コンサルティングといっても中小企業診断士系の人は一日3万円の世界にいて、大手コンサルティングファーム出身の人は一日20万円の世界にいる。さらにM&A斡旋業の人は、一案件数千万円の世界にいる。

これは個々人の趣味としか言えない。ただ、個人的には、可能な限り価格の高い商品やサービスの扱いを勧める。と同時に、ぜひ、自分がある価格範囲に縛られていることに自覚的でいたい。

❸お客をつかんだら離すな、殺されても離すな

先日、ピアノの先生から、このような時代にどうやって売上を保つか相談があった。

「躊躇せずに、既存客に連絡すればいいのではないでしょうか」と伝えた。しかし、先生は既存客のメールアドレスや、ＬＩＮＥなどを知らなかった。知っているのは住所と電話番号だけ。

たしかにダイレクトメールならば送れる。ただし、面倒だし費用もかかる。やはり日頃から、**かかわった人のメールアドレスなどを聞いておくのが重要**だ。企業には、一度だけサービスを買ってくれるが、意外なほど、それ以降は買ってくれないお客が多い。ただ、それでも継続的にコンタクトしていれば、再度サービスを買ってくれる可能性はゼロではない。しかし多くの企業は、その一度きりのお客の連絡先を知らないから、コンタクトできない。

たとえば私の会社ではブログやその他の発信で、かならず見に来てくれた人に足跡を残してもらうようにしている。メールアドレスを教えてもらって、そこに定期的に連絡するようにしている。たとえば1日に一つのメールアドレスを入手できるだけでも、中小零細企業からすれば良い。3年で１０００件ほどのメールアドレスが貯まる。

ＴｗｉｔｔｅｒのフォローでもいいしLINE for Businessで友だちになるのもいいし、Ｆａｃｅｂｏｏｋのグループでもなんでもいい。Instagramでもいい。私が最強だと思うのは、いまだにメールアドレスを収集することだが、肝要はダイレクトにアクセスできるようにすることだ。

企業が展示会に出展する。来訪者から名刺をもらう。大半の企業は、それを放置して連絡しない。驚愕する。展示会の意味がない。リード（見込み客）を活用できない企業は将来の売上を捨てている。企業は、外部と接触して得られたリードを、すべて無駄にしないように努力するべきだ。

とにかく、新しく出会えた人の情報を得られるように、常に考えてみよう。ホームページに来てくれた人にメールアドレスを残してもらえる工夫はできないか。店舗に来てくれた人に、スマホからバーコードを読み込んでもらって、ＬＩＮＥに登録してもらえないか。名刺交換した人に、継続してメールマガジンなどを送付できないか。

江戸時代、年貢は米に対して課せられていたが、商人の売買益には課せられなかった。それは当時の江戸幕府が、見えるものにしか課税できなかったからだ。常に国は、本当に価値のあるものには、遅れてしか課税できていない。**現在、もっとも価値のあるものは、顧客情報をどれだけ持っているか**だ。

ＧＡＦＡを見てみればいい。ＦａｃｅｂｏｏｋやＧｏｏｇｌｅはありとあらゆるユーザー情報を有している。それが富の源泉だ。設備など、見える資産はさほど大きくはない。それでも企業価値はトヨタを超える。これは決算書上の資産評価が時代遅れになっている事実を示唆する。現代では、1億円を持っているよりも、1万人の顧客情報を有しているほうが企業価値は上がるだろう。何よりも、誰もが顧客情報を死物狂いで収集する時代だ。

❹社員に聞くな。社員を引きずり回せ

「危機のときには、強いリーダーシップが求められる」とよく聞く。同時に、現場の意見をよく収集する必要があるとも聞く。前述したが、私は東日本大震災のとき、あるコンサルティング会社に勤務していた。私はそのとき取締役として参画していた。よく社員に意見を求めた。事業を立て直すためのヒントを得ようとした。ただ、当たり前だが、「その事業を廃止したほうがいいですよ」と教えてくれる社員はいなかった。

優れた社員は二つの役職を超えて考える。平社員なら、自分の立場を超え、課長の立場を超え、部長のつもりになって考えてくれる。ただ、それでも部長の視点だ。やはり、なかなか負債の連帯保証人になっている社長ほどの切迫感を持って考えるのは

難しい。私は、そのコンサルティング会社に自ら出資して働いていたが、そうでなければ、事業のガラガラポンを考えるまでにはいたらなかっただろう。

大半の社員は真面目だから、与えられた仕事を効率的にやろうとし、そして改善策を練ろうとする。その与えられた仕事そのものを否定するのは、自分自身を否定することと考える場合が多い。だから、その仕事、その事業を否定するのは経営者しかいない。

経営者が現場に行って、現場の意見を聞いても、些末な困りごとしか出てこない。その困りごとを拾って改善につなげるのは平時なら良いだろうが、緊急時には、優先順位を間違えている。

これは自省とともにいうのだが、たいていの場合、**社員とのディスカッションやブレインストーミングは役に立たない**。緊急時の打開策や対応策を考えるべく、アイディアを創発しようとするのだが、たいていは無意味に終わる。というのも、社員は会社存続のために、既存の事業を否定するような徹底的な克己に至らない。これは当然で、給料をもらっている立場で、そこまで考えろと命じるのが酷だ。現状追認の案しか出てこない。

経営者が一人で考え抜き、社員からその案に賛成してもらうくらいがちょうどいい。

さらに、朝改暮変（ちょうかいぼへん）でしかたがない。ここでのコツは、あらかじめ失敗するのを社員に宣言しておくことだ。「やってみるが、たぶん失敗する。それでもやらねばならない」といっておく。

新たな事業に乗り出すとき、きっと、一定数の社員は反対する。事業は失敗がつきものだから、たぶん、上手くいかない場合が多い。そうすると、必死な気持ちもわからない社員たちが「だからいわんこっちゃない」と不満を口にする。そんなときに備えて、失敗を宣言しておく。

現在では、失敗の数こそが企業の差別化につながる。むしろ、失敗の数だけが他社に対する優位性なのではないだろうか。成功のケーススタディならばネットにあふれている。でも失敗の例は描かれない。ただ、失敗の中に、成長への萌芽（ほうが）が含まれるはずなのだ。さらに失敗は、そのままコンテンツになる。失敗から立ち直った企業の話こそ、大衆に好まれる。そのためにも、社員に聞いて既存踏襲を繰り返すのではなく、むしろ独断によって社員を引きずり回す経営が重要だ。

また、資金繰りのことも、考えていることも、率直に社員に話しておくのがいい。意見が変わるのはかまわない。ただ、なぜ意見が変わったのかがわからないと、社員は不満を抱く。「大変な状況だ、売上はどれくらい下がる、利益はぶっとぶ、資金はあと2カ月しかない。そこでこういうことをやっていきたい」。そして試みが失敗したら「このような流れがくると思っていた。しかし、見込みが間違っていた。したがって、方針を修正したい」といった感じで率直に伝えよう。

日本企業の偉い人たちや、政治家や官僚は、自分が間違っていたと認めたくない人間らしい。しかし、誰もが天才でもない。予言者でもない。だから、災害時には初期段階の情報だけで経営判断をしていたら、誰だって間違えるはずなのだ。間違いは率直に認める。思考プロセスを開示して、社員が安心・納得するまで説明を繰り返すしかない。

❺とりあえずプライドを捨てろ

２０２０年3月くらいから、新型コロナウイルスの影響が顕在化した。私の知人にはコンサルタントが多いからか、悲痛な叫びをＳＮＳなどで読む機会が増えた。「講演がキャンセルになった」「研修がキャンセルになった」「顧問訪問がキャンセルになった」とさまざまなバリエーションがあった。どうも、このまま続けば廃業せざるをえない人が多いらしい。

しかし、悲しいかな、彼らは常に「先生」と呼ばれていたので、そのプライドを捨てられなかったようだ。プライドなど犬にでも食わせておけばいい。なぜ、なりふりかまわず仕事をお願いできないのだろうか。**仕事が減ったら、誰にでも電話したり、メールしたりして「なんでもやります」と伝えればいいのに。**ほとんどのコンサルタントは、それができない。きっと自意識過剰なんだと思う。

困っても他者に助けを求められない人が多い。誰もあなたのことを気にしていない。困っていたら、いますぐ電話でもメールでもいいから「何か買ってください」と乞うべきだ。そこからヒントも得られる。断られるのが大半だろうが、やらないよりもやったほうがいい。コンサルタントのうち、中小企業診断士は客先に頼んで助成金や補助金などの申請書類作成代行でしのいでいる。儲からないが仕方がないし、生き延びるのが優先だ。

ライターの方と先日お話した。仕事が減って大変らしい。というのも、ファッション誌では写真撮影ができない。取材もできない。だから沈黙するしかないと。しかし、これまでのツテをたどって、なんでもやればいい。少なくとも、「やります」と連絡してみればいい。

ある飲食店は企業に頼んで、在宅勤務する従業員への昼食デリバリーをはじめた。企業側としても一部を福利厚生費として計上できるし、栄養管理もできる。新たなビジネスモデルだ。また、私の知人である製造業の社長は、劇的な売上減少のなかでフェイスシールドを製作した。顧客に要望を聞いて、売れるものはなんでも作る。

もし、金融機関からお金を借りているのであれば、躊躇なく、「返せません。すみません。待ってください」と言ってみたらどうだろうか。平常時には、返済する信頼が一番に重要だ。しかし、緊急時だ。大家さんに家賃も減額か、あるいは支払いの猶予をお願いしてみよう。次の人を入れられるかもわからないし、大家さんとしても、とりあえずは聞いてあげるしかないはずだ。

これは管理会計の基本だが、固定費を削減すれば、損益分岐点は下がる。繰り返すと、損益分岐点とは、赤字と黒字のギリギリの売上高のこと。

固定費とは、主に人件費や減価償却費、家賃、水道光熱費だ。人件費は休業したら、雇用調整助成金がある。躊躇なく申請しよう。また、自分の役員報酬を減らすと同時

表3 固定費削減前後の損益分岐点

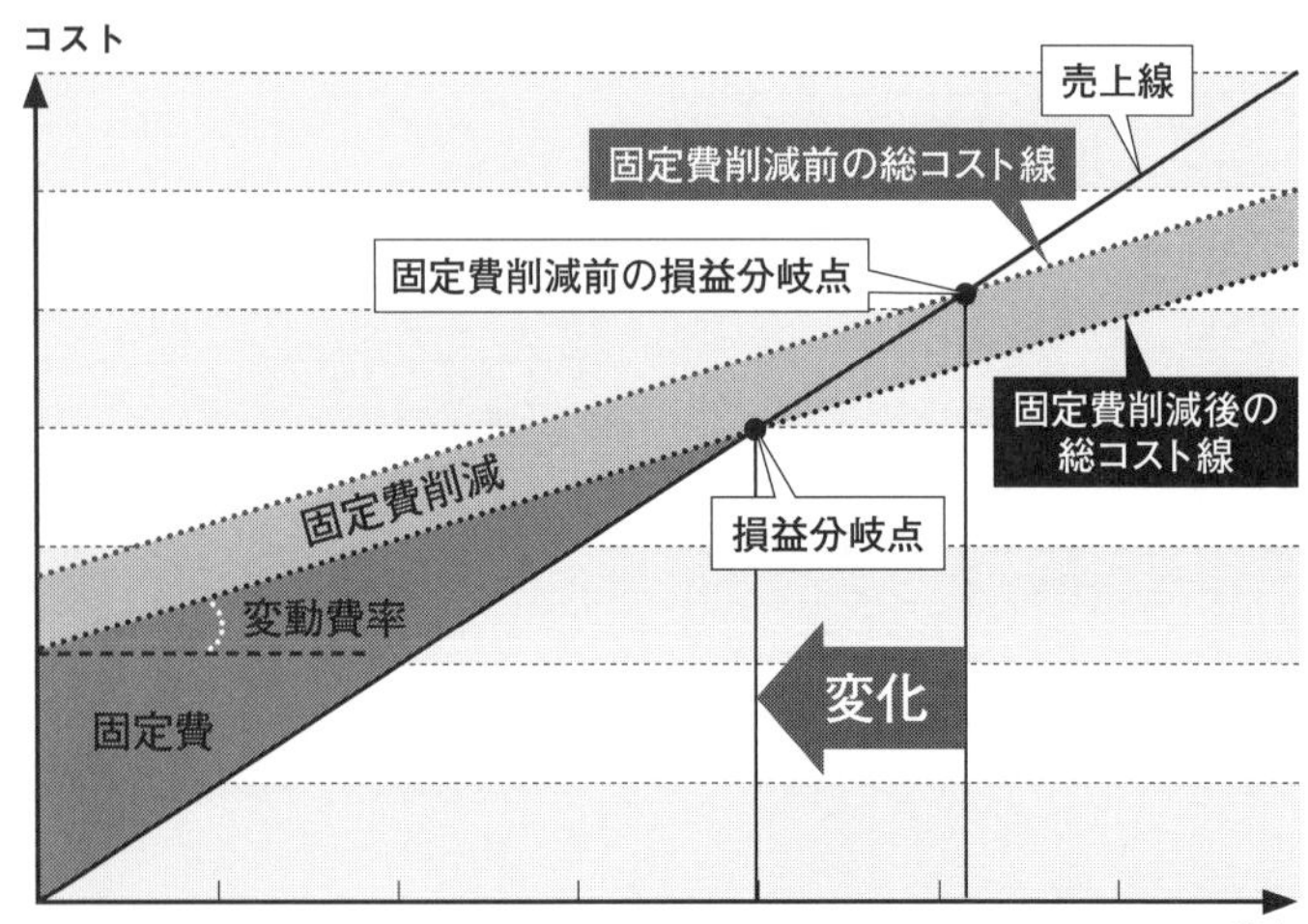

※著者作成

に、従業員にも減額できないか、正直に相談してみよう。なかなか納得してもらうのは難しいだろうがなんでもやるしかないのだ。現金保有額などから論理的に説明するしかない。

また、減価償却費は投資のことだ。無駄な投資はやめる。また、途中まで投資した案件があっても、生き残るために抑止しよう。それこそサンクコストだ。家賃は述べた。水道光熱費は事業の量が減れば、伴って、自動的に減っていくだろう。プライドを捨てて、なんでも交渉してみるべきだ。

ちょっと話が違うようだが、私が常に意識していることがある。だいぶ前のハロウィンのときに、渋谷の商店街が酒類を販売停止すると決めた。そのとき、私はテレビの地上波の番組に出ていた。「これで酒を飲む人は減るのでしょうか。違う場所からもってきたら飲めるのではないですか」とスタジオで疑問が相次いだ。そりゃそうだ。完全に減らすのは現実的に難しい。しかし、目的は、**「何もしないよりも状況を改善すること」**なのだ。100点を取ろうとするのではなく、現状より点数が上がる策をなんでもやればいい。何もしないよりは酒類を販売停止したほうがいいに決まっている。

企業でも、新たなことをしたら「施策はやりましたが、前年同期比をキープできませんでしたから失敗ですね」という人がいる。違う。そうではなく、比較するべきは「施策をまったくやらなかった場合に比べて、業績が向上しているか」だ。そうしなければ、お高く止まって、何もやらないほうが良いことになる。

私はコロナ禍で、緊急レポートを発行した。無料で今後の企業運営に参考になるだろう提言をまとめた。その際に、最後にチラシを入れておき、専門教育商材について「投げ銭と思って、買ってください」と陳情をまとめた。それが功を奏したようで、だいぶ商品が売れた。もう捨て身だ。「あそこまで書くなら、買ってあげます」と笑ってくれた顧客もいた。私たちの経営は助かった。

❻ゴールドラッシュを思い出せ

危機が到来した際に、同業他社の状況を調べつつ、決断を早く下さねばならない。なんでもやることは重要だ。しかし、あえていうと、矛盾するようだが安易に他社の真似をするのはいただけない。

たとえば、私はコンサルティングに従業しているといった。ゆえに、コンサルタント、講師、講演家、士業などの知人が多い。いわゆる同業者だ。すると、「やっぱりこれからは、ユーチューバーかな」とか「インスタを使った集客かな」といった安易な発想をよく聞かされる。もちろんやらないよりは良いし、前述のとおりやらないよりは、やったほうがいいだろう。

ただ、ここで思い出したいのが、200年ほど前に米国カルフォルニアでゴールドラッシュが起きた歴史だ。金が発見され、採掘者が殺到したあれだ。そのとき、採掘者のほとんどは儲からず悲惨な末路を迎えた。いっぽうで儲かったのは採掘者にズボンやツルハシを売った企業だった。**一緒に向かうな。サポートするのが良い**。

その文脈でいえば、副業ブームのなかで、副業やサイドビジネスの探し方を伝えるセミナーや斡旋業者が花盛りになっている。歴史は繰り返すようだ。なぜなら、あなたが困っているということは、他者も困っているのだ。

ところで私は、新たなコンサルティングビジネスは、クライアントのために必死に考えて資料をまとめる形態から、まず自社でやってみて効果があった施策を伝播するモデルになると思う。自社で売上補填のために必死に施策を重ねる。そのなかから効果があったものをノウハウ化し、それを売り出す。これがこれからのコンサルティングだろう。

ということは、誰もがコンサルタントになる時代だ。これは冗談ではない。もし、飲食店や小売店で、業績をＶ字回復させたのだったら、すぐさまそれをノウハウ化して売り出すべきだ。それは他者にとっての、ズボンやツルハシになるだろう。

❼摩擦を抑えろ。摩擦を避けるのはこれからのヒントだ

４月頃に、クライアントから聞いて驚いた。中国では自動ドアの需要が急増しているらしい。理由は、ドアノブに触りたくないから。これからはそうした需要を汲み取る技術がすべての業界で求められる。そのような生活者の目線をそのまま使えば、事業のヒントも出てくる。

たとえば、エレベーターに乗ったとき、ボタンを押したくないのではないだろうか。目線で操作、手振りでの操作が求められるだろう。こういった技術を持つ取引先を戦略的に囲い込む必要がある。あるいは自社開発かは要検討だ。

また、飲食店にテイクアウトに行った際、注文のためのタッチパネルを触りたくない。また、テイクアウトの待ち時間で、店内で飲食しているお客との飛沫は気にならないだろうか。実際に、EUでは店内ではなく、店外でお客を囲むテントの需要が急増している。

ＡＴＭもパネルを触りたくない。ならばせめて、抗菌の画面は需要が高まるだろう。米国では、店内カメラを分析してソーシャルディスタンスを保っていない場合、アラームが出るソフトが登場した。人間の接触を前提としない取り組みが重要だ。

また、横浜のゴールデンプリンセス号では、多くの新型コロナウイルス感染者が出たのは周知のとおりだが、どうも、高齢者が船内移動で使っていた手すりが原因だったらしい。ということは、シニアが移動する際に、手すりを使わずに自立して移動できる技術は必要不可欠だろう。なんといっても、新型コロナウイルスは一例として、このようなパンデミックは数年に一度くらいで再発する可能性があるのだ。

先日、聞いて納得したのだが、飲食店で机上の調味料を触りたくないお客が多いのだという。とすれば、調味料を、砂糖のように紙スティックで包む需要が高まるだろう。もちろん、紙にウイルスが残り続ける可能性がある。ただ、それでも不特定多数が触るよりもずっとましだと考えるお客は多いに違いない。

人間はずっと工場やオフィス、都市に人を集中させ、そこで効率的な活動を試みてきた。その取り組みは間違っていたとは思わない。しかしここにきて、人と人との接触や、摩擦を避ける傾向が出てきた傾向は無視できない。

ジムではなく、自宅用のランニングマシーンが売れている。子ども用のトランポリンも好調だ。公共交通機関に乗らずに済むように自転車も売れている。リアルな英会話教室ではなく、オンライン英会話。リアルな塾ではなく、オンライン教育ツールが売れている。

ここから明らかになるのは、**接触を避ける志向に、なんらかの商機がある**ことだ。

「関係がない」と思わず、非接触をテーマに自社が提供できる価値を洗い出してみたらどうだろうか。ちなみに、私の知る会社は、サーモメーターを転用して、非接触型の体温計を緊急生産し多額の売上をあげた。

少なくとも、どの企業も業種に限らず、自社のコンテンツをまとめてオンライン教育講座は作成できるだろう。さほど売れなくても、まったく売れないよりはやったほうがいい。しかもそれは、未来永劫に売上をもたらす可能性がある。

歴史から学ぶ危機の回避策

ところで、考えてみるに結局、企業は売上が血流なのだから、歴史から学ぶ危機回避策は「売上の確保」となる。そこで**重要顧客の見極めが必要**だ。

私がお勧めしたいのは、ABC分析、あるいはデシル分析だ。両方ともに、顧客の個人情報と、一定期間のその顧客からの売上高を元にする。

▼ABC分析（重点分析）：売上を顧客別に全体の寄与率で分析する方法

▼デシル分析：売上を顧客の数で1／10ずつ分類する方法

やっていることは似ている。たとえば、これまであなたの企業から商品やサービスを買ってくれた顧客が2000人いるとしよう。顧客を、年間でもいいし累積でもいいので、購入してくれた金額順に並べるのだ。そして、購入額の高い順に「Aクラス」

「Bクラス」「Cクラス」と割り振り、全体の金額に占める上位2割（Aクラス）を割り出す。これは、3割でもいい。数による。

そして、その上位2割か3割の顧客に集中的に電話でもメールでも、ダイレクトメールでもいいので連絡をする。さらに、特別割引でもいいし、付加サービスでもいいし、あるいは何もなかったら単なる御用聞きでもいいので、とにかく仕事の有無を聞いていこう。繰り返すがプライドは捨てていい。接触頻度は商売になる確率をあげる。この方法をABC分析と呼ぶ。

あるいは、このようにしてもいい。顧客が2000人、あるいは2000企業いるのだとしたら、同じく購入してくれた金額順に並べて、その全数を10で割る。答えは200人（社）だ。その場合、上位200人、あるいはその倍の400人でもいいので、そこに同様にセールスをかける。これをデシル（10等分）分析という。

上位に特化するのは、効率性とコストを考えてのことだ。時間とコストに余裕があれば、2000人全員にアプローチしてもいい。電話では連絡できず、メールでは埋もれてしまうかもしれない。私たちは、目に留まるように、紙に印刷したダイレクトメールを定期的に発行している。現在は、A4の両面チラシを安価に配布できる。2

000通で20万円くらいだ。一度で20万円の費用をペイする反応が得られれば、あとはダイレクトメールを送るほど収益は上がっていく。

必要なのは社員総マーケッター化

なお、この不景気の時代には、社員全員がマーケッターと化す必要がある。社内で検討を重ね、平時とは異なる訴求性を追求するべきだ。重要なのは、カタカナや英語ではなく、ひらがなの戦略だ。平時は、難しい概念を語ったり、うちの商品はすごいでしょ、というチラシを巻いたり、ホームページで語ったりしても、それなりに買ってくれる人がいるかもしれない。

しかし、**災害時には「この言い方ってわかるかな?」「これってお客に突き刺さるかな?」という当然の疑問を、マーケティング・企画・営業部門だけではなく、全社で考える必要がある。**あるいは、小規模事業者の場合、トップだけで決めていたことを、一般社員にも広げて考える必要がある。

私たちの例で説明する。

私たちは、サプライチェーン領域で簡単にＡＩを活用できるノウハウをパッケージ化した。簡単にいえば、オンライン教材を作った。そのとき、Google Cloud Platformや、ＡｍａｚｏｎのＡＷＳ、ＳＯＮＹのPrediction Oneを簡単に使いこなし、業務予想に使いこなせるコンセプトを前面に押し出そうとした。

しかし、ある社員は「でも、結局、そもそもサプライチェーンに従業する方々は、そういうツールを知らないので、それが簡単に使えるといっても意味がないんじゃないですか」と言ってくれた。

たしかにそうだ。ただ、これはどの企業も技術に自信を持っていると陥りやすい。怒られると思うが、あえていえば、誰も技術や難しいことなんてわからないのだ。これも偽悪的にいえば、自分が熱中する９割はわかってもらえないと思ってコミュニケーションしたほうがいい。誰もが自分の仕事にだけ集中しており、なかなかほかのトレンドはわからない。繰り返し偽悪的に言っている。

個人的な経験だが、たとえば、チラシや販売ホームページで、漢字をたくさん使うほど反応率は落ちる。しかも劇的に。さらに難しい言葉を使ってもダメだ。私たち商売人は、大衆を相手にするのだから、高く止まってはいけない。衒学的なことを語りたければ、金持ちになってからやろう。

たとえば、現在の流行を子どもに聞いてみればいい。あなたが見ている光景と、子どもが見ている光景はまったく違う。ユーチューバーやトレンド楽曲も、異世代で重なり合うところはない。それだけ私たちは断絶した時代に生きていると自覚すべきだ。

では、何に注力すべきか。それは、その商品やサービスを買った後に得られる便益をストーリー仕立てで語ることだ。ストーリーは共有しやすい。前述の例でいえば、Google Cloud Platformや、ＡｍａｚｏｎのＡＷＳ、ＳＯＮＹのPrediction Oneを使うことで、その仕事人生にどんな利益があるのかを語る。そして、それが誰にでもできるのだと実例をまじえて語ることだ。

順番は、**「顧客の悩みの明確化→解決策の提示→なぜ解決策を自社が提供できるのか説明→ダメ押し」**となる。この順番を、切迫感を持って語ることができれば売上は上がる。

福沢諭吉は、文章を書いたあと、お手伝いさんに読み聞かせて理解できなかったら書き直したそうだ。私に差別的な意図はない。お手伝いさんを大衆と見立てて、そこを一つの基準とする。以前、書籍『夢をかなえるゾウ』で大ヒットを飛ばした作家の水野敬也さんの講演を聴いて感動したことがある。氏は、ゲラをたくさんの女性に読んでもらい、わからなかった箇所にマーカーを引いてもらったらしい。そこを修正し、誰もが感動できる物語に仕立て上げた。売れる人は思考量が違う。

よく「世間はわかってくれない」と世間をバカにする人もいるが、バカなのは自分なのだ。

感情から勘定が重要

私はよく「感情から勘定」という。

先に、自分で作った会社に問い合わせがまったく来なかった経験を紹介した。感情的に悲観的になるのではなく、勘定的に判断するのが需要だ。

そこで重要なのが、マーケティング費用の計算だ。このときに**顧客の生涯価値、顧客一人、あるいは1社の顧客がもたらしてくれるであろう価値を、仮説であっても計算する必要がある。**概算でかまわない。この計算ができなければ、心理的にビビってしまい宣伝広告ができなくなる。

一例を挙げよう。月に10万円の宣伝広告を費やすとする。10万円程度だから、ポスティングでもダイレクトメールでもいい。多くの零細事業者や独立したての事業者にとって、これは大金だ。人によっては、会社勤め時の月給の半額かもしれない。当初は、まったく反応がない。ポツリポツリと反応がやってくる。でも10万円の回収にはとうてい至らない。やっと8万円くらいを回収できたとしよう。

このとき、ほとんどの人は、広告のデザインが上手くいかなかったとか、本当に配布されているのかと疑問に思うとか、社会が不景気だからダメだったんだとか、整合性をつけるために、自己に言い訳を始める。これを認知的不協和と呼ぶ。

ただ、まったくそんなことはない。8万円の売上をもたらした新規の顧客は、これからも継続して顧客になってくれる。飲食店なら再びやって来てくれる。士業だったら、再び依頼してくれる。小売店だったら、また買ってくれる。さすがに、離婚専門の弁護士だったら、離婚相談の2回目を依頼することはないかもしれないが、多くのビジネスにとって10万円を払って、すぐさま8万円の売上があったら、相当にすごい。きっと初月に1、2万円の売上でも、最終的には10万円は回収できるのではないか。だからこそ、顧客の生涯価値を、仮説であっても計算する必要がある。

それでも、たぶん10万円をかけて、その月に5万円くらいの売上しか回収できなかったら、多くの小規模事業者はポキっと心が折れて宣伝広告を止めてしまうだろう。心の中で、「この10万円があったら、バイトを雇えたし、何より10万円が浮いたかもしれない」と考えてしまうからだ。

考えてみるに、この感覚は、しかしながら正常だ。これまで私たちは、節約を徹底的に教え込まれてきたから、10万円が無駄になる恐怖からは逃れられない。実際に、無駄になる可能性はたしかにある。ただ、宣伝広告のビジネスが成り立つということは、その支出以上に回収できた人たちがいるからだ。

逆に考えると、10万円の支出で、いきなり1000万円を回収できた人は、その後も失敗しつつ10万円の宣伝広告費を繰り返せる人は多いだろう。しかし、実際にはそんな奇跡はほとんどなく、10万円を払うと無駄になる、10万円を払うと無駄になる、10万円を払うと無駄になると繰り返して、じょじょに上手くなり、そのうちに100万円を回収できるようになる。これは奇跡ではなく、確率論の問題だ。中学校でも習ったはずだ。ただ、現実にはたった一回だけ起きた事象をすべてと勘違いしてしまう。

だからこそ冷静に、感情ではなく、勘定が重要だ。

もちろん勘定といっても、神様ではないから、獲得した顧客が生涯にいくらくらい支払ってくれるか、仕事をくれるか、絶対的にはわからない。仮説でいい。

その上で、可能ならば、自社の商品やサービスを月額定額制にできるか試みることだ。以前の流行りでいえばサブスクリプションサービスだ。ただ、世の中はそれほど単純ではないので、サブスクリプションサービスにはできないものもある。あくまで可能ならだ。

月額課金制にすれば、この顧客ごとの生涯売上高は試算しやすい。月にいくら広告費を払ったら何人が新規会員になってくれ、さらに1年間の離脱率はいくら、と計算すればいいからだ。たとえば、飲食店であれば月額いくら払ってくれれば、いつでも食べ放題、と設定できるわけではない。しかし、一度お客になってくれた人たちがその後も継続して食べに来てくれる回数をざっとでも計算したら、生涯価値がわかるだろう。重要なのは、生涯価値をダメ元でも計算してみることだ。ほとんどの企業は、こういう試みすらしたことがない。

すぐれたサービスを買ってみる

なお、これは怒られるかもしれないが、新聞やチラシなどを見るたびに「バカの試行錯誤場所」と思えばいい。自分の代わりにチラシが効くか効かないかを、彼らがお金を払って実験してくれていると思えばいいのだ。つまり、「私の代わりに、お金をドブに捨ててくれる」と考えればいい。

こう捉えると、同業者のチラシに対して考えが変わる。同業者が打ったものにかかわらず、「こんなので集客できるのか？」「なんだこのキャッチコピーは」と思うような宣伝広告はたくさんあると思う。実際、多くの場合はそれで集客できていない。だから、その証拠に、その後に同じ広告を見ないはずだ。これこそ、「バカの試行錯誤場所」と思って笑っていればいい。

合理的に考えて、さきほど述べたとおり、効果があって、広告費が顧客の生涯価値以上だったら、広告を出し続けるしか選択肢はあり得ないからだ。だからこそ、出し続けていない以上は、その価値がなかったと判断すればいい。

では、繰り返し宣伝広告を出稿していたらどうだろう。答えは簡単で、反応率がいいからだとしか結論付けられない。よっぽどおかしなこだわりでもない限り、反応のない宣伝広告費を出し続けるはずがない。

それがわかったら、今度は何をすればいいか。簡単で、**一度商品やサービスを買ってみるか、あるいは資料請求をしてみればいい。**そうしたら、彼らがどんな資料を送ってくれるか、またどんな反応をしてくれるかわかる。極端な話、**それがもっとも彼ら、つまり成功している人や企業が試行錯誤してたどり着いた結論だから、そのとおりにすればいい。**もちろん、そのとおりといっても、文面をそのまま模倣したら違法だ。そうではなく、自社に当てはめたコンテンツに変える。これは合法的なシステム模倣だ。

しかも自分の身銭を切って買ってみれば、学ぶ真剣度が変わる。おそらく、他社の学習を繰り返していると、リードマグネットの重要性に気づくだろう。この**リードマグネットとは、厳密な定義とは違うものの、見込み客を呼び寄せるマグネット=磁石、**だ。ホームページでもいいし、メールマガジンでもいいし、あるいは宣伝広告でもいい。あるいはリアル店舗だったら、試供品でもいい。主旨は、「それがほしい」と潜在顧客が集まってくる〝何か〟を見つけることだ。その〝何か〟を提供する際に、代わりに顧客からは個人情報やメールアドレスを提供してもらう。

リアル店舗であれば、その人の名前と住所。ネットであれば、メールアドレス。リードマグネットを魅力的なものにし、それらを集める。これをオプトインというが、その代わりに、以降のこちらからの情報提供を許可してもらう。情報提供とは、新商品の情報を渡したり、セール情報を流したりすることだ。

私が商売をはじめて、このリードマグネットを作ろうとしない同業者に呆れたものだ。何もしなかったら、潜在顧客が集まってくるはずもない。だって、その相手が、どんな便益のあるサービスを提供してくれるかもわからないのだ。そんな相手にお金を払おうとするはずもない。

私たちは、全力でリードマグネットを作っている。私たちはコンサルティング会社だが、潜在顧客が興味をもちそうなレポートを、コストをかけて定期的に作っている。私たちは、情報を提供するのが最大の価値だから、最新時流をまとめてレポートPDFを無料公開し、その代わり、レポートを入手するためにはメールアドレスを残してもらっている。

しかし、それは、コンサルティング会社ゆえだ。読者はいろいろな業界に属していると思う。どうすればいいか。簡単だ。その業界のなかで、うまくやっている会社を探して、そのままやってみればいい。私も同業者のサービスをいつも買っている。

私の会社で模倣しているのは、次のとおりだ。たとえば、何かに気になって、私たちのホームページにたどり着いてくれたとする。そうすると、どの記事からも、メールアドレスなどの情報を残したら貴重な情報を渡すページに誘導する。

ここで、ホームページの位置づけを転換するのが重要だ。「自社の自慢ばかりを書く」のは最悪だ。そこから「潜在顧客に役立つ情報を提供する」のでは、まだダメだ。そこから**「潜在顧客の個人情報を、許可の上で入手できる」**まで昇華せねばならない。

逆にそう考えれば、わざわざ個人情報を残しても欲しい情報とはなんだろうか、と考えるようになる。想像してみてほしい。あなたが潜在顧客の立場だったら、メールアドレスとか住所とかを残すだろうか。ほとんどの場合、残さない。凡庸な情報だったら、ネットで検索すれば得られるはずだ。その閾値を超えて、それでもほしい、というあなたの業界の情報はなんだろうか。それを煮詰めれば、答えは出てくるだろう。

売上が半分になったらどうするか

ところで、事業を始めたら、「売る」と「買う」の二つに注力するしかない。自分の商品を売ることと、そして、支出を削減すること、あるいは適正な範囲で抑えることだ。経営者はこの二つに注力すればいい。

そのなかでも前者の売上は、まさに生物でいうと血流みたいなものだから、誰もが必死になっている。そこで、前述のとおり、できればこの売上に関しては悲観的な見通しを持っておくべきだ。少なくとも、悲観的な予想を持ち、そこから対策を講じるのは無駄にはならない。

冒頭でも似たような内容を書いたのだが、経営者はできるだけ臆病者がいい。イケイケの経営者が檜舞台に出る場合が多いけれど、中長期的には臆病者が長生きしている。臆病者的にいえば、人生や事業を、たまゆらだと自己否定しているほうがまともだ。

昨年の売上が1000万円だったところ、今年は5000万円になったとする。「自分の実力からすれば、これはたまたまだ」と思えるかどうか。実際に、たまたまな場合が多いだろうから、調子に乗らないことが重要だ。

こう考えてみよう。年商1000億円の企業があるとする。そして、1000万円の仕事をA社に委託している。その委託はけっこう気まぐれで、「なんでそのA社に委託しているんですか」と聞かれても、うまく答えられない。なぜならば、1000億円に対して1000万円はさほど大きな比率ではないからだ。

しかし、その1000万円を受注しているA社からすれば、ものすごく大きい金額だ。一人でやっている企業であれば、それが生命線で、なくなってしまったら死んでしまう。その1000万円を引き受けるために、ほかの仕事を断っているかもしれない。新規の受注を考えなくなるかもしれない。

ここには重要度の違いがある。つまり、発注者にとっては、A社は重要ではない。でもA社にとっては、発注者が極めて重要だ。このパワーバランスの違いが不幸をもたらす。決定的な不幸だ。しかし、このパワーバランスの違いに意識的な人たちは、きわめて少ない。それこそが、もっと不幸なことだ。

ここで重要なのは、「売上が半分になったらどうするか」と自問することだ。しかも簡単だ。企業であれば、売上の台帳を作っているはずだ。そうしていると、依存度を計算できる。

つまり、1億円の年間売上高があったとして、500万円を一つの取引先から受注していたとする。そうすると依存度は5%だ。

▼依存度＝特定企業からの受注額÷年間売上高

私が思うに、**特定の取引先依存度が10%を超えないようにしたい。**これは理想論だ。仕事を始めたばかりだと、一つの企業への依存度は10%をすぐに超える。しかし、可能な限り10%を超えないほうがいいと私は思う。

なぜ10%基準を採用するか。絶対的な理由はない。ただ、前に見たとおり**売上高の10%が下がると赤字になってしまう企業は少なくない。**だから概算で10%を使えばいい。そうすれば、いかに分散をするべきか実感が持てるだろう。取引先の言いなりになってしまうのは、いつの時代も哀しい状況を作り出してきた。自由を保つためにも、できるだけ分散するのがふさわしい。

さらに、特定の顧客への売上が半分になったらどうするかを考えると同時に、特定の事業の売上が半減したらどうするかも考えておこう。たとえば、サブプライムローンショックの不況が襲ったとき、実際にセミナー会社などは相当な被害を被った。顧客企業の業績が芳しくなくなり、教育に費やす余裕がなくなったからだ。

さきほどは顧客の分散だったが、たとえばセミナー会社は個人向けにセミナーを開催してもいい。企業はお金を出さないかもしれないが、自己投資に積極的な個人はお金を払う。とはいえ、個人から集めるにも限界がある。だから、事業の分散で対応する。

たとえば、セミナー会社がアパレルブランドを作ったらどうだろうか。もちろんやってもいいけれど、残念ながら、あまり相乗効果を期待できないだろう。特定の事業が不調になったからといって、そこの社員を急いで異動させても、すぐに適応できそうな気もしない。何よりもノウハウがあまりに違うから、一つの企業として見たときに支離滅裂に映る。

ただ、教育内容をパッケージ化したＤＶＤやテキストつきのオンライン講座の通販事業を立ち上げるのはどうだろうか。これならば、企業から図書費として買ってもらえる可能性がある。何よりも、いったん作成してしまえば、あとは場所や時期にかかわらず販売ができる。

また**新たな事業を構想する際には、キャッシュポイントをズラして考えるのも重要**だ。セミナー会社は、講義をして企業からお金を取る。これをズラすと、どういうことが考えられるだろうか。たとえば、講師からお金を取れないか。

実例でいえば、登壇したい講師志願者を育成するプログラムを持つセミナー会社がある。吉本興業のＮＳＣ（吉本総合芸能学院）のようなものだ。現在、元気でじゅうぶんに働ける65歳のシニアがあふれている。彼らは知識も経験もあって、さらに若い人たちを教育したいと考えている。何よりも、このまま引退するよりも社会に貢献したいと思っている。

そこで、資料の作成方法から、教え方、プレゼンテーション手法、そして人気を得るコツなどをスクール形式で教えていく。そして、最終的には登壇する機会も与えていく。このような育成事業をメインにしている会社もあるほどだ。

さらに実例では、飲食も取り扱い始めたセミナー会社がある。セミナーに参加した後、参加者同士で交流したいと考える受講者は意外なほど多い。そこで、会場に残って、希望者だけで懇親会を行います、と誘導する。必要な免許取得など課題はあるとはいえ、懇親会のほうが利益率は高い場合がある。経営者などのトップ勢が参加するならば、懇親会費が高くても比較的に問題にならない。講師や事務局と仲が良くなれば、次のセミナーは部下を連れてくる、となる。さらに、講師は企業トップと仲良くなれば、そこから会社訪問をしてコンサルティングにつながる例がたくさんある。

私はセミナー会社を語りたいのではなく、講義して終わりのはずの事業であっても、他事業への展開が可能であると伝えたかった。**キャッシュポイントをズラして考えれば、どんな企業でも横展開ができる**だろう。

ところで私は以前、半分冗談で「食事事業」をやった。これは、文字どおり、食事をしてお金をもらうものだ。具体的には、企業人であれば、私（か弊社の他コンサルタント）二人きりで食事をして、その食事代を払ってくれれば、その時間で相談に乗りますよ、というものだった。

二人の食事代は最大5万円と設定した。コンサルティング費や教育費としては払えない企業も、接待交際費であれば払えるとかで、かなりの人数と会食した。しかも、払うくらいなので真剣な方々が多かった。事業としては売上ゼロ、利益もゼロ。ただし面白いことに、そこから、翌期にコンサルティングでお付き合いするようになった企業もあり、その関係は今でも続いている。これは一つの事業から違う事業に誘導するものだった。

情報を集める

ところで、事業を考えるとき、当たり前だが世の中のニーズを知るのが重要だ。あるいは、盛り上がっている業界を誰より早く知るのが重要だ。

ここから書くのは、私がもっとも重要だと考えている方法だ。しかし、やや抽象的にしか記述できない。それは、**情報が自動的に集まる仕組みを作る**ことだ。そして企業活動の一環にそれを意図的に取り入れることである。

たとえば行政書士はどうだろう。彼らは行政への手続き文章作成を請け負っている。だから、どのジャンルの申請が多いかまっさきに理解できる。金融機関はどの産業分野で積極的な融資が行われているかわかる。ベンチャー投資家も、どのジャンルが熱いかがわかる。小売店のＰＯＳデータを扱う企業は、売れ行きを確認し、流行している商品がわかる。

「だからなんだ」と思わずに聞いてほしい。

彼らは、自分自身で意識しているか、していないかは別として、情報が集まってくるのだ。行政書士などは〝食えない仕事〟として有名だが、もったいないと私は思う。将来有望な業界がわかれば、そこから構想を膨らませて事業を始めればいいのに。

たとえばラーメン店を営んでいれば、どういう麺類、あるいは味が人気で、どういう形態の店が流行しているのか、とか、違う店ではこんな面白い取り組みをしていますよ、といった情報が自動的に入ってくるようにしなければならない。

雑貨屋であれば、EUのどっかでどんなものが売れているとか、こんなトレンドがあって、セレブがどんなものを気に入っていて、廃れたものがなんだ、というリアルな情報が入ってこなければならない。

こういうことをいうと、ネットで検索すればいいと主張する人がいる。二つの問題がある。ネットは、あくまでも事後的であり、記事やコンテンツをアップロードする人がいるかいないかに左右される。もう一つは、多くの人の場合、日本語に制約される。ロンドンの情報を知ろうと思ったら、ロンドンにいる日本人記者の有無によって左右される。

それを自動化できる、あるいは集めざるを得ない状況を作ってみよう。どうやって情報が集うかは業界や業種によって違うので、それは考えるしかない。ここでは一例として、私たちの事例を紹介しておこう。

たとえば、私たちはコンサルティング会社だといったが、おそらく専門領域でもっとも新しいトピックスを発信している1社だと思う。ほかのコンサルティング会社からもイベントの講演を頼まれるくらいだから。数少ない自慢の一つだ。

私たちは月に1回、最新のトピックを講義している。「よくネタを探せますね」と言われる。しかし、それは逆なのだ。毎回、講義のあとに、現在の困りごとや、トラブル、解決策を見つけられない課題などを受講者に質問し、それを反映している。世の中の流れもわかる。

さらに、講義で足りていなかった内容も聞いて、いろいろと調べて、それをレポートとしてまとめる。講義は有料でやっているから収益になる。レポートは、その収益を使って宣伝し広める。そうするとより多くの人が集まってくる。自然とさまざまな情報を教えてくれる人たちが増えてくる。これを業務の中に取り入れている。システムとしてやっているのだ。

また、私は海外の業界事情を紹介する雑誌連載を持っている。「よく知っていますね」と、聞かれる。しかし、それも逆なのだ。連載をしたら、情報を集めざるを得なくなるだろうと考えて、出版社に企画を出した。

すると、英語でも検索するようになるし、知人のツテで海外の事情をヒアリングせざるを得ない状況を作った。さらに編集者とか読者から、次はこんな内容はどうだろうか、と提案が届く。意外に、知らないことも多い。そこから次のネタができあがる。

そうやって一周したら、そのコンテンツを元にしてコンサルティングを開始。その過程でノウハウをセミナー資料に落とし込んで集客する。その様子を撮影にしたら今度は教材になる。さらに、それを外注に文字起こししてもらえば、書籍にもできる。

中小企業こそ、真剣にアップセルとクロスセルを

私は**中小企業こそ、真剣にアップセルとクロスセルを徹底しなければならないと考えている。**アップセルは、上位商品を勧めること。クロスセルは他商品のついで買いを勧めること。いわゆる、ファーストフード店における「ついでにポテトもいかがですか」だ。

アップセルも、クロスセルも、多くのお客は「不要です」という。それでいい。もしかすると、声をかけた1割しか反応してくれないかもしれないが、逆に言えば1割もの顧客が客単価を上げてくれる。これは恐ろしい変化だ。

どんなビジネスであっても、アップセルとクロスセルを試行錯誤しなければならない。私は飲食店でも小売店でも、店員がなぜもっと売ってこないのか観察している。もちろん、強引に売れというわけではなく、自然な形で「もう一品、これはどうですか?」「+100円で大盛りにできます」「さらにこの商品が合います」と提案すること。意外に大切なのが「ほかに気になるものありますか?」ではなく、具体的に勧めることだ。たとえば衣類店で「ほかにご覧になりたいものありますか?」と聞かれても特にない。具体的に「これがいいですよ」と見せてほしい。

私たちの会社では、商品を買ってくれた顧客には、商品のお買い上げのお礼として、他商品の割引クーポンを自動的にメールで送付する。そうすると、意外に高い確率で「それならついでにこの商品も買います」と返信してくれる。

さらに商品を送付するときも、請求書とともに、割引クーポンをさらに印刷して送る。私が思うに、請求書は必ず開いてもらえる宣伝媒体だ。ここを逃すなんてもったいない。レポートにも、販売チラシを同封する。

また、セミナーに参加申請をしてもらったら、「同僚の方、もうお一人どうですか」と割引クーポンを同じく請求書とともに同封する。

ところで私たちの会社で成功したキャンペーンは、専門誌を無料で配るものだった。それはチラシと同じではと思うだろう。そこで、私たちは、代わりに送料だけは払ってくださいとお願いした。３００円。実際には、専門誌の印刷代や、私の執筆時間を考えれば、完全に赤字だ。それでも顧客情報（住所）を得られるので、やるだけメリットはある。

ただ重要なのは、そこではない。送料だけでも払ってもらうのがコツだ。一度、財布を開いてくれる。正確には、クレジットカードを入力してくれる。

そこで、送料を入力してくれた方に、ついでに商品を買ってくれませんか、ともちかけた。そうすると、相当な方が商品を買ってくださった。嬉しかった。きっと、何かをくれた相手には、何かを返そうという返報性の原理が働いているのかもしれない。

それだけ私は、中小企業にアップセルとクロスセルの徹底を勧める。

なぜか。もちろん**事業を継続できなければ、自分たちの高尚な経営理念が実現でき**

ないからだ。継続のためには売上が要る。それと、中小企業は次の節で紹介するとおり、見込み客や新規顧客の獲得に極めてコストと時間がかかる。もちろん顧客の拡大もしなければならない。同時に、すでに来てくれている顧客にできるだけのサービスを提供できるよう努めるべきだ。

そのために、アップセルとクロスセルを常に意識しておこう。

どうしたら見込み客を増やせるか

では、既存顧客に最大限のサービスを提供するいっぽうで、どうすれば見込み客を増やし続けることができるだろうか。それは結局、地道な作業を繰り返すしかない。良質なコンテンツを増やして、アクセス数を増やすことだ。それ以上はない。

ただ、もう一つは宣伝広告が有効だ。誰でも、ウェブや雑誌や、新聞などで良さそうな商品の宣伝を見て、買ってみた経験があるに違いない。たとえばＦａｃｅｂｏｏｋなどでのターゲティング広告は有効だ。うまくいけば、一人の個人情報を数百円で入手できる。これはあなたのビジネスに興味のある個人から、数百円でメールアドレスを入手できるということだ。

ただ、むやみやたらにFacebook広告を出してもうまくいかない。見込み客を集める際に、その見込み客が集まる場所はどこか探し続けねばならない。これは本当に重要で、強調しすぎることがない。あなたのビジネスの潜在顧客はどこに集まっているだろうか。**重要なのは、溜まり場を見つけて、個人情報を得て、それをその後の宣伝広告に活かすこと**だ。これ以上の法則はない。

この溜まり場の意味は、リアルな場所かもしれないし、紙媒体かもしれないし、あるいはネットなのかもしれない。

ちょっと個人的な話をしたい。私が知人と会社を作った際に、どうやったら、私たちのサービスの対象となる顧客名簿を得られるか真剣に考えた。読者が自分自身だったらどうするだろうか。

繰り返すと、私の会社は経営コンサルティング会社でサプライチェーン分野を対象としている。サプライチェーンの意味が不明でもかまわない。何かの専門領域があって、そのコンサルティングサービスや商材を販売したい場合だ。

普通に考えれば、アプローチすべきは企業のなかにいる、サプライチェーン部長とか、サプライチェーン本部長とか、サプライチェーン担当役員とかだ。まず名簿屋に行ったら、あまりに高くて驚いた。とても生まれたての弱小企業が買えそうにない。次に、某有名経済誌のメールマガジンのヘッダー広告枠を買った。たしか20万円だったと記憶する。小冊子を提供する代わりに、住所や名前を聞く方式にしていたが、反応はほぼなかった。

次に某有名業界紙に1週間連続で広告を載せた。これも笑えるほど反応がなかった。本当に笑ってしまったほどだ。さらに某氏から勧められて、有名人のメールマガジンに出稿した。たしか30万円くらいかかった。結果は、クリック数は7だった。これも悲惨すぎて、みんなで笑った記憶がある。

つまり媒体を間違えると、こういう悲劇が起きる。喜劇ともいえるかもしれない。対象とする人たちがそこに集まっていなければ無意味なのだ。さらに、実際の展示会に出展したり、展示会でチラシを置いたりしたが、効果がなかった。

しかし、試行錯誤を重ねたことで、思いもしなかった溜まり場を見つけることができた。何度も失敗したのは、私たちがバカだったからかもしれないが、ビジネスの対象者はさまざまなので、やはり手当たり次第やってみるしかない。私たちの場合は、意外な二つが突破口になった。

それは、ＪＥＴＲＯだった。今はもう存在しないが、東京の六本木一丁目駅近くに、ＪＥＴＲＯのビジネスライブラリーがあった。現在は規模が縮小している。当時、ふらっと立ち寄って驚いた。入場は無料。それなのに、ありとあらゆる名簿が完備されていたのだ。さまざまな業界名簿があふれていた。それらを無料で閲覧できるのだ。驚愕した。

コピーは有料だったが、必死に見込み客名簿をコピーした。そして、そのあとに、クラウドソーシングでエクエルに文字化した。あとは、それをダイレクトメールの宛名にして送るだけだった。私たちは、なんとかそのダイレクトメールで商材を売り、糊口をしのぐことができた。

そして、もう一つ。それは意外なことに、ネットの求人サイトだった。つまり、求人しているということは、その分野が忙しいに決まっている！　これはコロンブスの卵だった。なぜならば、どうしても知りたい相手の社名や組織名、さらには住所まで、公開してくれているのだ。求人を出すほど急拡大しているので、コンサルティングや教育が不要なはずはない。

私たちはすぐさま、同じくクラウドソーシングで、求人サイトで求人している社名や住所などをリスト化してもらった。私たちはバカ者だから、考え続けないと気づかなかった。それでも、溜まり場を見つけたことで私たちはなんとか、以降、事業を発展させるリストを見つけたのだった。

この求人サイトというのは、一つのたとえにすぎない。重要なのは、溜まり場を見つけるように思惟を重ねることだ。

コストが倍になったらどうするか

経営ではコストが急騰した最悪ケースを考えておかねばならない。

日本の企業は、どんな業種であっても、売上高に対して数%残せればそれなりだ。だから、1億円の売上があったら、300万円とか500万円を残せれば、利益率3～5%だから、平均からいえばまずまずだ。

これは、逆に言えば、コストがちょっと上がったら利益を残せないことを意味する。たとえば社員が100人で、利益が1000万円しかないケースなどありふれている。

そのときに、社員が団体交渉で給料を上げなければ全員が辞めます、と交渉してきたらどうするだろう。社員一人につき月に1万円を上げたら年間で12万円の負担増だ。社員からすれば朗報だろうが、会社からすると悪夢でしかない。100×12万円で1200万円だ。これで利益の1000万円が吹き飛ぶ。給料を上げることなんてまったくできない。

かつ、外注にお願いしている範囲が大きければ、実際に倍にはならないかもしれないが、注意しておく必要があるだろう。少なくとも、外注費が高騰した場合のシュミレーションはしておくべきだろう。

ネット広告だけに依存していた企業がある。PPC広告があった。これはPay Per Clickの略で、検索エンジンに連動し、クリック報酬型とも呼ばれる。誰かが、興味のある単語を検索すれば、それにまつわる広告が掲載される。ある時代はそれがもっとも優れていた。何かを検索するわけだから興味があり、かつ緊急性がある。

たしかに以前のネット広告は最高の集客手段だった。しかし、そのコストは次々に上昇していった。そして、多くの企業は採算が合わなくなっていった。あの頃の阿鼻叫喚地獄はなかなかの見ものだった。

さらに最悪なことが起こった。多くの企業は、広告ポリシーに合わないとされ、PPC広告の出稿自体ができなくなった。しかも、その詳細理由は明かされず、単に出稿できなくなったままだ。集客・収益モデルが破綻した企業がたくさん現れた。冷徹にいえば、1社に依存していたツケがきたのだろう。

話は飛ぶようだが、演者のYouTubeへの一極集中についても同じような危うさを感じる。どんなに儲かっても、プラットフォーマーに依存している。彼らがポリシーを変えてしまえば、動画は全部削除され、アカウントも削除され、いきなり何もない人になる。

たくましい人であれば、またゼロからフォロワーを増やせるだろう。しかし、それもたやすくない。さらに、収益条件も変化する可能性がある。かつては1ビュー＝1円とも言われたが、今では、その10分の1が珍しくない。つまり、特定のプラットフォーマーに、自分の収益すらも決定権を握らせているのだ。

話を戻す。この「コストが倍になったらどうするか」とは「取引先が売ってくれなくなったらどうするか」にも通じる。取引先が供給してくれなくなったら、事業をまともに運用できなくなるリスクをはらむ。

この二つの自問は、結局のところリスクマネジメントに行き着く。供給リスクをどこまで想定できるか。想像力とも近い。対応策は「軽減」「回避」「転嫁」のどれかしかない。

「軽減」とは文字どおり、できるだけ被害を減らすように努めることだ。取引先を分散したり、被害を最小に抑えられるように取引先と関係強化を図ったりすることだ。

「回避」は、万が一の被害が発生しないように、できるだけリスクから逃れることだ。たとえば、外注する範囲を狭めて、自社で完結できるようにすること。あるいは、問題にならないような、いわゆる付加価値のない業務領域のみを外注することだ。

「転嫁」は、業務自体を誰かにお願いすること。たとえば、ある仕事があったときに、それをほかの業者に再委託する。「回避」に対して、そもそも外注しない。もちろん最終的な責任は免れないかもしれないが、一義的には、その業者に責任を委ねる。

たいてい、事業が上手くいっているときは、取引先が売ってくれないなんて考えない。でも、相手は倒産することもあるし、自社を嫌うこともある。また、方針が変わって取引しなくなる可能性がある。最悪の場合を想定して動くことは、ここでも重要だ。

サプライチェーンの教訓から

自分の悩みは、すでに誰かが考えて結論を出している、と思うのが定石だ。さきに投げかけた「コストが倍になったらどうするか」あるいは「取引先が売ってくれなくなったらどうするか」は、企業のサプライチェーン部門が常に考えてきた課題だった。彼らが考えたのは、結局のところ前述の「軽減」「回避」「転嫁」のどれかだ。そこで、概念ではなく具体的な手法としては次のとおりだ。

▼「軽減」

マルチソース、あるいはマルチアロケーション、あるいは関係強化を図る。

(1)「マルチソース」とは…

取引先を複数化する。簡単に言えば、1社だけに頼らずに、2社か3社の取引先から調達することだ。そうすれば、1社から、突然の値上げをされても違う会社に切り替えればいい。これは言うのは簡単で、しかし、実行するのは難しい。なぜならば、特定の1社で満足していれば、普通は代替企業を探そうとはしない。それは既存取引先を裏切る行為と思えるためだ。ただ、事業の安定化は自社が責任をもつもので、他社は責任を取ってくれない。万が一のことを想定し、代替先を考慮しておこう。なお、私たちは広告代理店を、常に2社活用している。正直にいえば、安価だし、ある1社でいい。ただ、あえて数度に1回は、違う会社を活用している。そうすることで、先方から切られた場合でも大丈夫なように心積もりしている。

(2)「マルチアロケーション」とは…

取引先は1社だが、その支店や拠点を複数にしておくことだ。たとえば、ネジを特定企業から調達しているとする。そんなとき、その取引先の2工場で同等品質のものを生産可能にしてもらっておく。そうすれば、片方が被災しても、もう1工場は生き延びているはずだ。また、それは国内2工場の意味だけにとどまらない。海外と国内の2工場でもいい。リスクをヘッジするためだ。たとえば、2社でマルチソースをしているつもりでも、同じ地域で2社ならばリスク分散にならない可能性が高い。地震などのとき、同じプレートの上にある2工場ならば、同じ時期に被災する。だから、マルチソースではなく、同一取引先内でのマルチアロケーションのほうが効果的な場合がある。

(3)「関係強化」とは…

文字とおり取引先の優先度を上げてもらうことだ。なんだかんだ言って、取引を継続して、さらに適正な価格で供給し続けるかどうかは、顧客の重要度に影響される。もっとストレートに言えば、切り捨てていい顧客と、死守しなければならない顧客にわかれる。言い方を気にしなければならないが、お客様は神様だとはいえ、やはり2種類にわかれる。

ミもフタもないが、その境界線は、どうしても受注金額の多寡だ。たくさんの仕事をくれる顧客は切れないし、少ない仕事量ならば取引がなくなってもやむなしと考える。これはどの世界でも共通だろう。

ただ、例外的に、取引量は少ないが、取引を切りたくないと考える場合はある。私の実例でいえば、すごく楽しいときか、将来の業務量拡大の可能性が高いときか、勉強になるときだ。したがって、相手への訴求力を上げようと思えば、このどれかを向上できるように努めなければならない。

▼「回避」

外部から購入しているサービスや商品を、使わないでいいように検討をする。そのサービスや商品が特殊であるほど、代替が効かない。それがなければ、自分たちの事業が成立しないとなると首根っこを押さえられたようなものだ。かなり難しいことではあるが、**できるだけ汎用品を使用することが重要**だ。

かつて、私がある経済学者と対話した。その頃スマートフォンが登場した時期だった。スマートフォン各社ともかなりの利益を稼いでいた。その事象について、その経済学者は「電子電気部品などの汎用品を使って、スマートフォンというブラックボックスを作り上げる。これがいつでも儲けるコツです」と説明していて、私は感心した。わかりやすいものから、わかりにくいものを作るのが成功の法則だという。もっとも、現在ではスマホ販売にさまざまな企業が参入しているので、けっして儲かる領域とはいえなくなった。ただ、あくまで比喩としてはこの説明は有効だと思う。さらに、供給リスクやコスト上昇の可能性を減らすためにも、汎用品を使用することは強調されていい。

ところで、私たちの会社の話で恐縮だが、ある外部講師にお願いしてセミナーを実施していた。参加費もけっして安くなく、4万円ほどだった。大人気で、私たちのセミナー事業の中核を担うまでになった。ほどなくして、講師から謝礼を倍増してほしいと依頼があった。当たり前だったかもしれない。講師だって、簡単な計算をすれば、自分が話したらいくら売り上げるかがわかる。概算で会場費やテキスト代金を差し引けば、どれくらい儲かるかもわかるだろう。しかたなく、私たちは謝礼を倍増した。

そして、しばらくすると、さらに謝礼を増やすように要求された。考えてみるに、良い商品を買ってきて、それを売るのは簡単だ。楽でもある。ヒットしたら儲ける。ただ、安直なだけ、それに依存するのは弊害を生む。私たちは自分の間抜けぶりを痛感した。

同じようなことが外部のコンサルタントでも生じた。外部のコンサルタントにお願いして、難しい難題を解決してもらったことがあった。コンサルタントといっても、専門領域はさまざまに渡っており、一人のコンサルタントがカバーできる範囲は小さいためだ。短期的には外部に依頼するのは簡単だ。しかし、そのうち、そのコンサルタントに依存するようになってしまう。同じく、謝礼を大幅に増やすように要求された。外部の講師もコンサルタントも、私が言うのは変だが、経済合理性を持つ行動だった。

自分の活躍で大きな収益を上げるのであれば、自分への対価を引き上げるよう交渉するのは理にかなっている。

そこから私たちは、外部講師やコンサルタントをできるだけ使わずに事業を営んでいる。言うは易く行うは難し。そこからオリジナルのコンテンツを開発し、さらに集客までやって、その専門性を高める、といった当然のことをする必要があった。それは辛く、長い道のりだが、その平凡のなかにしか真実はないのだろう。

これは社員でも同じで、ある社員しか特定の業務を遂行できない会社はたくさんある。彼らが給料の倍額交渉をしたらどうなるのだろう。いつまでも、現状が続くとは思わず、代替策を検討しておこう。

▼「転嫁」

業務自体を誰かにお願いすること。たとえば、ある仕事があったときに、それをほかの業者に再委託する。現在、水平分業から垂直統合が見直されている。水平分業とは、生産において取引先の能力を都度、連携して使うことだ。そして垂直統合とは、生産において自社あるいは自社グループで担うこと。つまり、できる限り、他社を使うか、あるいは、自社でやり切るかを指す。

たとえば、ｉＰｈｏｎｅを見てみよう。アップルはｉＰｈｏｎｅの生産を鴻海精密工業に任せている。これは水平分業の成功といわれた。そのいっぽうで、自動車メーカーはどうだろうか。彼らは「すり合わせ」の技術を有しているといわれる。クルマを考えたときに、他社に任せず、自社あるいはグループ会社と密接な連携を前提として1台を作り上げる。

もちろん、どちらにも一長一短がある。しかし、簡単だが、外部に任せるほどコストは低減するものの、時間は長くなる。そして、内部に抱えるほど、コストは増大し、しかし、時間は短くて済む。さらに、前述の「回避」を踏まえるならば、外部へ任せる領域は、できるだけ付加価値のつかない業務にしておきたい。

ところで固有名詞を書くのが主旨ではないため省略するが、昔、こんなことがあった。某海外メーカーは、日本メーカーのパソコンに部材を納品していた。その性能が素晴らしく、さらに安価だったため、日本メーカーは注文の拡大を進めた。部材だけではなく、基板への電子部品などのマウント等も依頼するようになった。そしてそのうち、パソコンの全体の組み立てまでを担うようになった。また、アメリカのパソコンメーカーも同海外某社を活用するようになった。

その後、どうなったか。海外某社は、それらパソコンメーカーから得たノウハウを活用し、大々的に独立を遂げた。オリジナルブランドを作り、世界中に販売を始めた。安価で品質は大手メーカーの知見をじゅうぶんに反映したものだった。さらにデザイン力もついていた。今では、日本のどこの家電量販店でも見かけることができる。この話は、企業がどこまで外部に委託すべきか考えさせられる。繰り返すと、できるだけ付加価値のつかない範囲が良い。

または、話は変わるようだが、災害発生時に備えて、被害額を最小限にするために、保険への加入もこの「転嫁」といえるだろう。私が自動車メーカーで働いていたころ、外資系の取引先に「日本の自動車メーカーは、在庫を極限まで減らしていますので、一つの部材であっても納品が遅れたら、莫大な影響を及ぼします」と言ったところ、「大丈夫です。おたくから賠償請求されたとしても、保険に加入していますからお支払いできると思います」と言われ驚愕したものだった。そういう話をしていたわけではなかったのだが、ビジネスライクで興味深かった記憶がある。根本的な問題解決ではない。しかし、あくまで金銭的被害を肩代わりしてもらうのだ。

お読みいただいた通り、「軽減」「回避」「転嫁」は重複しているところもあるし、やや相互に矛盾するところもある。ただ重要なのは、常に最悪の事態を考えておくことだ。

分散の時代

ところで、売上の話も、コストの話も、共通するのは分散化だと思う。新型コロナウイルスが発生したとき、多くの企業が中国からモノを仕入れられなくなった。さらに、中国での消費量が大幅に減速した。当時、多くの人たちは脱中国を叫んだ。これからサプライチェーンに中国を入れないほうがいいのではないか、という意見まで飛び出した。実は私も、グローバリズムが生んだアンチグローバリズムがやってくるのではないかと原稿を書いたほどだ。

しかし、象徴的だったのは、メキシコだ。新型コロナウイルスの発生源は武漢かどうか決まったわけではないが、おそらくメキシコではないだろう。しかし、ブラジルは新型コロナウイルスの影響をもっとも受けた国の一つで、たとえば自動車産業などは2020年5月あたりまで停止状態にあった。つまり、もし中国からメキシコに調達国を変更した企業があったとすれば、その策は無意味だったことになる。あるいはベトナムでも生産が止まった。フィリピンでも同様だった。

さらに、日本国内に回帰する動きがある。あまり意味がないだろう。というのも、新型コロナウイルスの騒ぎの前は、日本では確実に南海トラフ巨大地震が起きるといわれていたのだ。新たな動物由来の感染症が日本から生じる可能性は少ないかもしれない。しかし、日本は世界中の保険会社が出しているレポートによれば、災害リスクが相当に高い都市が多い。台風、洪水、地震。**日本に回帰すれば安心なのは、疫病など、一部のリスクにすぎない。**

つまり議論は、中国から日本だとか、いやほかの国だといった話ではない。**販売先でも、調達先でも、よりいっそうの分散が重要**だ。私は「売上が半分になったらどうするか」「コストが倍になったらどうするか」と自問せよと挙げた。あわせて、「ある国が機能不全に陥ったらどうするか」を考えたほうがいい。

また、この数年はベンチャー投資が盛んだった。これからは、ベンチャー投資はなくなるだろう。これまで、世界的なカネ余りにより、全世界のベンチャー企業に、じゃぶじゃぶとお金が注入されていた。ベンチャー投資は、100社に投資し、99社が失敗しても、残り1社が上場してくれれば元が取れた。

だから、多くのベンチャーキャピタリストが投資先を探していたし、プレゼンテーションの上手さだけで何億円かを調達するのが容易だった。それが、新型コロナウィルスは、ベンチャーキャピタリストたちに、投資判断を厳しくさせている。

言い方を変えれば、銀行借入れをした経験もなく、ベンチャーキャピタリストからの投資に偏っていたカネ集めの方法は限界が来たということだ。

いい気味だ。

言い過ぎた。

ここでも重要なのは分散だ。適正化が起きるだろう。そもそも、ろくでもないベンチャー企業に投資が集まっていたのは事実で、ベンチャーキャピタリストも上場だけを目論んでいたフシがある。これからは社会に必要な地道なベンチャーが生き残るのは当然で、淘汰の時代といえる。

もっとも、ベンチャー企業の育成が重要なのは当たり前で、ベンチャー企業がバタバタと潰れていけば、数年後の日本に大きな影響を及ぼす。

これから消費者や企業人の価値観はどう変わるか

起業家だけではなく企業家は、世の中の変化を好機と捉えるべきだと繰り返し説いてきた。ということは、これから社会がどうなっていくのか、価値観がどう変容していくかは仮説でもいいので持っておくべきだろう。

コロナ禍は、人間性の原点である、人と人との触れ合いは危険だと人類に投げかけた。もっとも、新型コロナウイルスの対抗薬、ワクチンが誕生すれば、あっさりと以前の状況に戻る可能性がある。実際に、ＨＩＶが問題になった際には、これで人間文明は終わりだとか人間間の接触はなくなるとか、全員が引き籠もって生活するしかない、と論じられていた。でも、すぐに生活は元に戻った。

ただ、新型コロナウイルスについては長期戦になることは誰もが理解しているし、対抗薬やワクチンが出るにも、相当な時間がかかるだろう。その間に、いくつかの価値観が変わると私は見ている。鬼教訓７つのなかで「❼摩擦を抑えろ。摩擦を避けるのはこれからのヒントだ」と私は書いた。人間観からは次のとおりだ。

❶人と人の接触観

ライブハウスなど人と人が集合することができないのだ。それは人間の基本的権利であるにもかかわらず、むしろ、市民が嫌がる。少なくとも避けようとするだろう。

米国トランプ大統領がメキシコの間に壁を作るといい、イギリスが国民投票によってEUから離脱するといったとき、知識人の誰もが彼らを冷笑し批判した。それがどうしたことだろうか。新型コロナウイルスによって、誰もがむしろ、国と国との間に壁を作れ、鎖国しろ、と訴え始めた。それは政策的にやむなき方法だっただろうが、それにしても知識人たちの変容には驚いた。と同時に、世界の人たちも、その意見に与するようになった。

人々は、家族以外の他人と接触を避けるようになるだろう。ハリウッドでは、基本的に映画撮影は禁止、インディーズ映画でも、共演者は家族か恋人という時代が到来しようとしているのだ。

たとえば、企業内ワイガヤ（ワイワイガヤガヤしながら戦略を構築する方法）などは見直しが必要になる。不特定多数との密接状態を発想源とする知的活動のあり方は再考が必要だろう。なお、私は密接状態がもはや不要とは言っていない。しばらくの間、代替策を検討するべきだ。

❷人材のフラット化と公開主義

多くの企業では、テレビ会議システムを導入した。意外に効率的だと気づいた人たちは多い。何よりも移動時間がなくなる。テレビ会議がメインになってくれば、上の階にいる同僚と、米国の駐在社員は等価に扱われる。これは恐るべき意識変容だ。「部門横断」から、「地理的・役職横断」となる。中間管理職の存在にも大きな疑問を投げかけていくだろう。

また、欧米企業ではテレビ会議が以前より通常業務で使われている。地理的に広大であることもあるが、業務で議論内容を記録・保存するのが当然と考えられていたからだ。それに対して、日本は密室主義だ。たとえば考えてみてほしい。日本企業のトップが重ねている密談を記録したら、どれだけ公開に耐えられるだろうか。それだけ恣意的な経営判断が繰り返されている。そこには株主を無視した意思決定も多いはずだ。きっと、企業自体が瓦解してしまうケースが続出するだろう。

ただしテレビ会議は、いつでもどこでも録画・録音されている可能性がある。Zo

omとかTeamsの録画機能を使っていないからといって、それは本質ではない。パソコンに映っている以上、録画しようと思えばほかのソフトを使っても録画できる。公開主義がこれからは前提となる。少なくとも、録画されている心積もりで、後日に検証されても大丈夫のように発言や意思決定を行う必要性が出てくる。

❸取引先選定の明確化

そして同時に、なぜ既存の取引先と付き合っているのかが問われる時代になる。現在は、特定の地場取引先と「なんとなく」付き合っている状況が続いている。その取引先ではなければならない理由なんて、ほとんどの人たちが説明できないに違いない。

これから、3密取引（密室・密談・密約）が減っていけば、国内外を問わずに取引先を選定するプロセスに移行せざるをえないはずだ。それは株主に、なぜこの取引先と付き合う必要があるのか説明責任を果たす。さらには、社員にも同様だ。これまで、役員とか社長のしがらみで付き合いを継続していた取引先は多い。その状況に対し、プロセスが記録されていく。

いわゆる、地場主義的癒着関係から、戦略的癒着関係へと脱皮していくだろう。

さらに、いまだにＦＡＸでしか注文を受け付けない企業が多い。なんでも打ち合わせしましょう、と対面を要求する企業もある。そういった一つひとつの行動に対して、見直しが図られるはずだ。これまでの常識だけに拘泥する、バカ企業クラスターとの、社会的な距離が求められる。

商社のうち、単に仲介業だけで、実質的に何もしていなかった企業も利益を中抜きされていく。誰かと誰かを紹介するだけでマージンを得ているような企業は多い。たしかに人脈は重要だ。しかし、それだけで食っていける時代はもう終わる。その企業や事業者が仲介することでどんなメリットがあるか再検討されるだろう。実際にコロナ禍において、卸や商社を使うべきかゼロベースで見直していくとする企業は想像以上に多い。

逆に、テレワークや遠隔業務が多くなっているなかで、求められるサービスは何かと考えれば新たなビジネスのヒントになるだろう。

ところで、私はＨＩＶの例を挙げて、すぐに生活が元に戻ったと書いた。ただ、あえて前述しなかった価値観の変容がある。

その前に、背景を説明する。90年代の初頭、米国の主要都市において、ＡＩＤＳは若者の死因1位にすらなった。当時、ＡＩＤＳ患者への差別は恐ろしいものがあった。同性愛のコミュニティで多く発見されたからか、同性愛者たちの性交によって感染すると考えられていた。しかし、実際には輸血やドラッグ、日本では薬害エイズ問題など、本人が想像もしないルートで感染していた。さらには、同性愛は批判される悪しき対象ではない。それは性のあり方のひとつとして認められるべきだ。

ただ、当時はＡＩＤＳ患者の子どもと同じ学校に通わせたくないとか、同性愛者は病気で社会から排除されるべきだといった論調があった。さらには患者と、少しの日常接触でも感染すると信じられていた。英国のダイアナ妃が、ＡＩＤＳ患者病棟に行き患者と握手をした姿をメディアが報じたほどだった。

ＡＩＤＳ患者も、そして同性愛者も社会の一員である。ゲイのコミュニティは声を上げ始めた。たとえば、エルトン・ジョンは、社会の無理解がＡＩＤＳの治療方法の発展を遅くしているといらだちを会見で述べたほどだった。そして、ＨＩＶの流行を機会にして、社会にはダイバーシティの考えが徐々に浸透していった。性的にはマイノリティであっても、権利は守られるべきだ。そして、現在のＬＧＢＴＱの概念が生まれ、今では企業で採用活動をしたり、販売活動をしたり取引先を選定したりする際にも、かならず意識せねばならない前提になった。

新型コロナウイルスも同じだろう。

今騒いでいるほどに人類の価値観は変化しないかもしれない。日常に戻っていくのかもしれない。しかし、まったく同じ社会にはならないはずだ。ペストの流行がルネサンスを生み出したように、人間の価値観は少なからず変容を遂げる。

そして、変化のきざしに注目することこそ、これからの企業人に必要な態度なのだ。

第3章

業界別の生き残り策

第３章をまとめると

製造業は〝奴隷根性〟に染まらず、戦略的癒着を

サービス業は「あなた」を売ることを意識し、ときに早期撤退の勇気を持とう

小売業はニーズを予想し、顧客とのつながりを強めよう

不動産業者はお客の〝人生の同伴者〟となるべし

フリーランスは「動いたら、すべて有料」と覚悟を決めよ

これからを生き抜くために

これまでの事業を捨てる覚悟でゼロから見直そう。

それが、ポスト・コロナの、人が集まらない時代を生き残っていくための大前提だ。これまでなんとなく成り立ってきた商習慣は、これからは通用しなくなる。いや、今がその馴れ合いの習慣を覆す絶好のチャンスともいえるだろう。

ここでは、製造業、サービス業（飲食業）、小売業、不動産業、フリーランスそれぞれの生き残り策について、詳述していきたい。

製造業

モノを作って社会的な価値を生むのが製造業だ。が、ここで再定義をしたいと思う。

製造業とは、材料を買って来て、そこで、その材料では想像もつかなかった最終製品を作り上げて、顧客に想像以上の対価を払ってもらうことだ。当たり前と思うかもしれない。しかし、これは当たり前ではない。多くの製造業は、材料費の多寡に影響を受けている。おって説明したい。

青臭くいえば、モノを作る製造業は、モノを通じて、相手の物理的な空間に侵入する。外部からその空間に入り込む以上は、理由がなくてはならない。便利だとか、あるいはそこにあることで快楽をもたらす、とかだ。自分たちの価値を定義しなければならない。

というのも、製造業が最終顧客と接しておらず下請け仕事に依存していれば、〝奴隷根性〟に染まりがちだ。つまり、発注してくれる大企業がなんとかしてくれなければ、自分たちでは何もできないという諦観だ。こうなってしまうと、運を天に任せてしまう経営であり、注文が減ってしまえば売上を減らすしかない。自分たちで何かできるだろう、という感覚がなくなってしまう。経営とは自由を得る手段のはずなのに、どこかの会社の言いなりになってしまうのだ。

製造業にはバイヤーたちがいる。私もその仕事をしていた。バイヤーたちは必然的にコスト削減を検討する。材料は安価で仕入れたほうがいいに決まっているし、コスト削減を専門にする人たちがいるのだ。

彼らはこう考える。まず、交渉で安価にできないか。それから、取引先を変更できないか。加えて、仕様を変更できないか。そうして、なんとかして安くしようとする。職業倫理としては素晴らしい。

しかし、彼らも取引先を変更できなかったら諦める。そして、私は戦略的な癒着と呼んでいるが、その1社から仕入れることを前提として戦略を構築する。つまり、**あなたの会社からしか購入できないような圧倒的な立場があればいいのだ。**そして、その圧倒的な実力とは、作る側と売る側の両面から成り立つ。

そこでここでは、作る側と売る側にわけて指針を説明する。

❶−1　作る側

これはサブプライムローン住宅ショックの際とやるべきことは同じだ。できるだけ費用を抑えて、生き残りを図るしかない。

参考になるトヨタ自動車の例でいえば、2008年3月期と2009年3月期の決算比較が参考となる。2008年3月期は売上高26兆2892億円、営業利益が2兆2703億円だったところ、2009年3月期は売上高20兆5295億円、営業損失

（マイナス）4610億円となった。このときも、売上高が22％ほど下がっていた。

同社はこの過程で、かなりの緊急収益改善を重ねていた。

●緊急VA（価値分析）活動

●新工場プロジェクトの中止・延期・規模縮小

●生産調整による在庫の圧縮と、労務費低減策の実施

●一般経費の徹底的な削減

などだ。これで約1300億円の改善を達成した。しかし、興味深いのは2010年3月期で、売上高は約19兆円とさらに下がりながら、営業利益は1475億円を確保している。もともと赤字に陥ろうとしたところ、原価改善で＋5200億円、固定費の削減でさらに＋4700億円を積み増した。

それらの活動は、まさにコロナ禍でのコスト改善活動に取り組まなければならない企業の参考になるだろう。

●VA活動の対象機種を拡大

●工場の保全費など効率化

●設備投資の削減

●研究開発の効率化
●出張費用などの全面見直し
●販売費は重要度をわけて投資
●ワークシェアリングを導入し労務費削減

書き出してみたが、すべて凡庸なものばかりだ。しかし、凡庸を重ねていくしかないと語っているように思われる。

原稿執筆時点でトヨタはコロナ禍で同じく大変な状況にあるが、売上高のうち比率の高い変動費（調達費、外注費等）の改善はかならず行うだろう。そして、自ら徹底したVAに取り組むはずだ。取引先にはなんとか知恵を振り絞るよう働きかけていくのではないか。

2020年3月期には、同社は自動車、金融セグメントで減価償却費として約1兆6000億円が計上されている。これは設備投資額とイコールではないものの、投資判断を見極めれば、かなりの効果が見込めるだろう。

さらに、固定費とはいえ作業者の人件費は、期間工であり生産台数の低下に応じて減少する。光熱費も減る。

なお、私は仕事上、トヨタグループの競合企業と接する機会が多い。なので、あまり同社を持ち上げるのは好まない。ただ、同社は危機感を醸成するのが極めて上手い。平時には、やってくる災害に備えろといい、災害が起ると社員を鼓舞する。現在、グループ会社の社員にもただならぬ危機感が漂っている。そして、取引先各社も重大な危機的状況として受け止めているはずだ。

たとえば製造業では、「なぜこの部品を採用したのか」「なぜこの取引先から調達しているのか」「なぜこの生産数が決まったのか」「なぜ過剰在庫を持つに至ったのか」「なぜこのデザインなのか」「なぜこの検査内容なのか」「そもそも工場監査に大量の人数が行く必要があるのか」等々、真剣に考えるほど不透明なプロセスが少なくない。反省を込めて言えば、これまで取引先の選定には、コストと品質だけが重視されてきた。それを満たせばよかったので、世界にサプライチェーンが拡大してきたのだ。たとえば、なんらかの部材を調達するときに、「品質は大丈夫か」と聞かれても、その国のリスクを質問されることはなかった。これからはカントリーリスクを考慮せざるを得ない。

つまりは、**「この国の取引先を選べば、品質は日本と同等、コストは10%安くなりま**

す。ただ、カントリーリスクはBランクで、破綻する可能性もあります」といった評価のありようだ。この〝Bランク〟とは比喩にすぎない。重要なのは、そのリスクを把握しようと試みることだ。

たとえば、リスクは、**「発生頻度×リスクの強度」で表現できる。**中国からパンデミックが10年に一度は発生したとして、リスクの強度＝数カ月の生産停止、という仮定で試算ができるだろう。

そのリスクを犯してまでも中国での部材調達や、あるいは生産をするべきか。これは、コスト安と品質の維持に加えて考慮するべき項目となるだろう。

企業が行う投資はそれなりの理由がある。平時ならばそれでもいい。しかし、今は緊急事態なのだ。ゼロベースですべての支出を見直してキャッシュの確保を急ぐしかない。トヨタ自動車だって、死に物狂いでやっているのだ。他社が安穏としてよいはずがない。

とにかく生き残るために、製造業の実力を発揮し、頭脳をフル回転させるしかない。生き残ろう、稼ぐのはそれからだ。

❶-2 取引先対応

また、何よりも社員が新型コロナウイルスに罹患しないことが大切だ。それは生産を止めるばかりではなく、風評被害を生むし、従業員を募集する際にも遠慮されかねない。さらには、取引先にも感染しないように注意を払ってもらう必要がある。

なぜならば、製造業において取引先とは密接な関係にある。製造の現場のみならず、設計の意見交換、生産技術者同士の会話など、ふれあいが多い。そこで参考になるのは、イーロン・マスク率いる電気自動車メーカー・Ｔｅｓｌａの動きだ。同社は、すぐさま生産安全化のための「Return to Work Playbook」を発表した。これはポスト・コロナを見据えたもので、**取引先にも徹底した新型コロナウィルス対応を求めている。**

自社だけが新型コロナウイルス防御策をとっても、サプライチェーンのどこかに穴があれば意味がない。Ｔｅｓｌａは〝Tesla has implemented a new COVID/Pandemic policy for its suppliers〟（Ｔｅｓｌａはサプライヤーに新型コロナウイルス感染症方針を導入した）とし、同社と同様の新型コロナウィルス対応策の設定を求めた。

東日本大震災の際、ＢＣＰ（事業継続計画）を取引先に求める動きがあった。このＴｅｓｌａの動きは、新型コロナ版のＢＣＰ策定をサプライヤに求めたようなものだ。

きっと、日本企業も同様の要求をはじめるだろう。

しかしそうなると、無数の取引先と付き合い続けるわけにはいかない。というのも、もしかすると生産数もコロナ禍において減っていくかもしれない。そうすると、無数の取引先がもしあなたの会社に依存していたら、バタバタと倒れてしまうかもしれない。とすれば、取引先の数を絞って、1社あたりの発注数を増やして、なんとか生き残るしかない。

私なりの言葉で言えば、「戦略的癒着」が必要となるだろう。必要と感じる取引先には必死に生き残りをお願いせねばならない。これまでのように、一律の取引先管理ではなく、濃淡をつけた取引先管理が重要だ。

それが、「戦略的癒着」だ。これから、受注が激減した取引先がたくさん出てくるだろう。そのようなとき、しかし、その取引先の固有技術はたくさんあるはずだ。**廃業、倒産されてしまうと、発注企業のほうが困る。だからこそ、特定の重要取引先にはこれまで以上のケアが重要となる。**

たとえば、部品調達の支払いを早期化する、手形から現金に切り替えるなどの施策は重要だろう。また、設備や人員ごと買い取るようなM&Aも戦略としてはあり得る。

これまで日本の中小企業は、固有の技術を持っていながら生産性が低いと繰り返し指摘されていた。その宝を再生するためにも、日本企業間のM&Aは意義がある。

すべてを救うことはできない。だからこそ、この「戦略的癒着」が必要となってくるのだ。

また、冗談ではなく、よく「センサー万別」といわれる。センサーにはさまざまな種類がある。そしてもっともすぐれたセンサー技術を有するのは日本企業だ。ここに将来に向けた戦略の萌芽があるに違いない。

非接触型社会、または非集合型社会がやって来ている。前述のとおり個人と個人の間に距離、壁、を設けなければならない時代に応じた商品が求められていくだろう。

◎非接触技術

◎音声による操作

◎殺菌、除菌技術

これらがすべての産業に求められる時代がやって来るのではないだろうか。ちなみに、私はウィルスをすべて除菌できるとか、無菌状態が良いと思っているわけではけっしてない。むしろ、これまでと同じく人類はウイルスと適当な〝付き合い〟をするしかないと私は思う。ただそれよりも、結局、商売はお客が何を感じているかを優先するしかない。その意味から、潔癖時代への対応が必須だ。

これらを自社で対応できるか。多くの企業が不可能であるに違いない。そうすると、これらの技術を有する取引先の囲い込みがポスト・コロナ時代には重要になってくるだろう。商品戦略として、前面に出すべき付加価値であるだろうから。

❶-3　在庫水準の見直し

ＪＩＴとは、もちろんジャストインタイムの略で、サプライチェーン上の在庫を極限まで減らし、生産と取引先からの納品タイミングを同期させるものだ。私はこのＪＩＴ生産が間違っているとは思わない。理屈上はＪＩＴ生産できれば財務上も素晴らしいことはわかっている。

しかし、ＪＩＴは在庫を持たない以上、脆弱性を抱えているのも事実だ。私たちはサプライチューンに従業する全国の会員に、コロナ禍の影響についてアンケートを実施した。そのなかで、ＪＩＴゆえの生産停止を教えてくれた声がいくつかあった。ＪＩＴは失敗だったとさえ語る声さえあった。回答者の叫びは、ＪＩＴのリスクを重く見るべきだった、という反省の声にほかならない。JITがあまりに進んだゆえの、反JIT思考、という皮肉。ほかのアンケート回答では、在庫を持っていたので、当面のあいだ生産に支障が出ていない、というものもあった。

私はJITが廃止され、多くの企業ができるだけ多くの在庫を持ち始めるようになるとは考えていない。ただ、それでもなお、**在庫を有していた場合、生産維持にどれだけ寄与できていたかは検証されるべき**だろう。

また新型コロナウイルスのような疫病はまた数年に一度くらいは起きる覚悟がなければならない。調達が難しくなると、次のような緊急対応が必要になる。

- **●代替品の緊急検討**
- **●二重投資による国内での生産検討**
- **●倉庫を東京周辺だけでなく大阪、名古屋で分散（これによって都市封鎖のリスクをヘッジ）**
- **●EMS工場を中国、東南アジアから別の国に移管検討**
- **●国内在庫品の調査**

代替品を検討するとき、調達・生産・技術などで承認者がわかれていると、プロセ

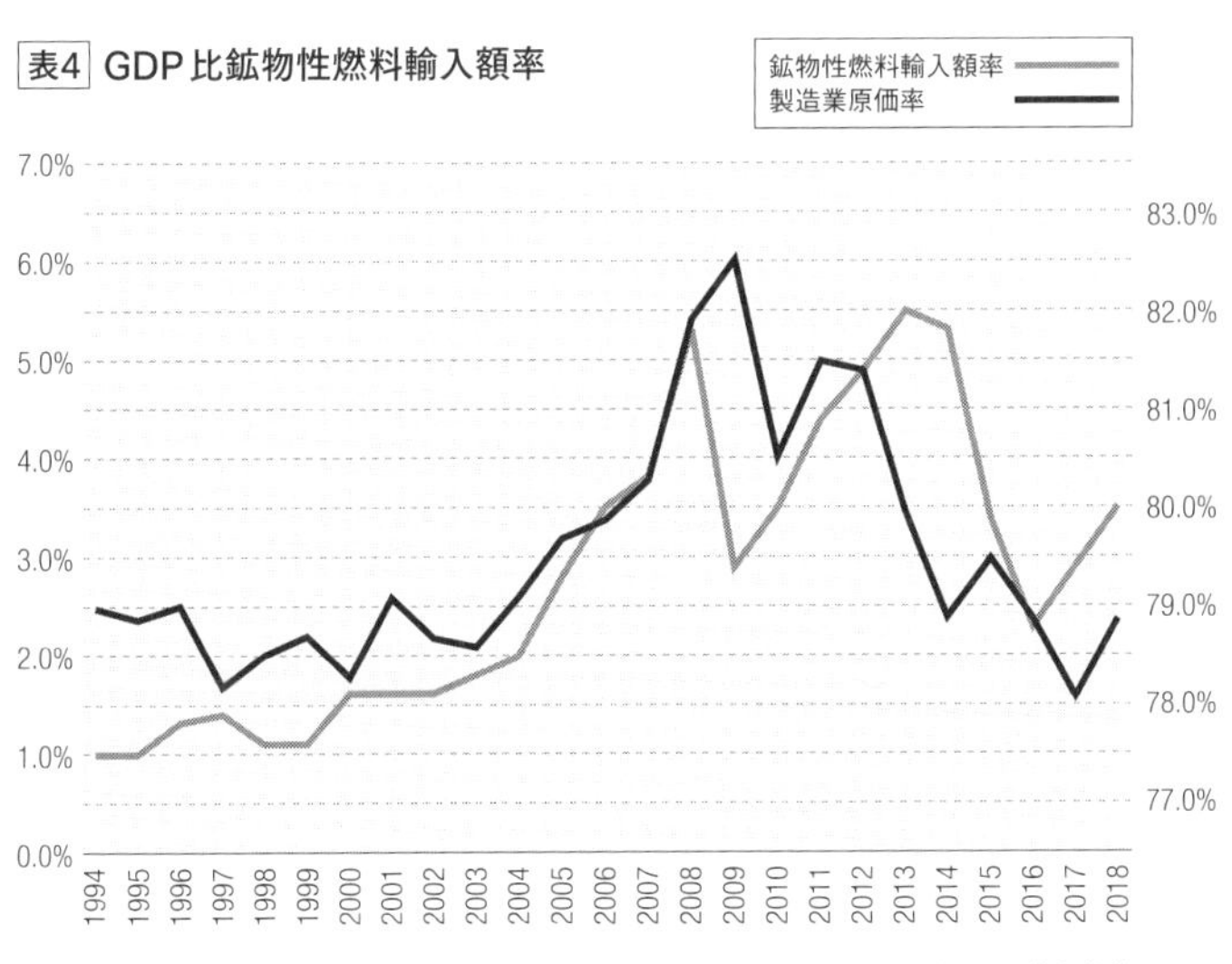

※法人企業統計、ならびに貿易統計から著者作成

スに時間がかかる。そこで、緊急時には意思決定者を一本化するなど、東日本大震災の教訓が生きている企業もあるようだ。

また、東日本大震災の直後、代替品を市中で見つけても、担当者の決裁金額権限の問題で調達できないケースもあったようだ（その後、上長の決裁を受けて買い求めると、売り切れていた）。そこで、緊急時には担当者の決裁金額上限を引き上げるようにするなど、やはり現場は改善されている。

❷－1　売る側

表4のグラフを見てほしい。これはなかなか絶望的なグラフだ。

鉱物性燃料とは、いわゆる製造業が使用

する原材料・資源だと思ってもらったらいい。それをGDPと比較したものだ。左軸がGDPに占める鉱物性燃料を輸入した額が占める率だ。簡単に言えば、これは、日本が諸外国から買っている原材料や資源が、値上がりしているのか（右肩上がり）、値下がりしているのか（右肩下がり）を示している。右側は、製造業の原価率を示す。

では、何が絶望的か。製造業は、諸外国から買ってきている鉱物性燃料の価格が高くなれば原価率も上がる。そして鉱物性燃料の価格が下がれば原価率が下がっている。つまり、**鉱物性燃料に原価率を左右されている**のだ。

言い換えれば、製造業は、まさに「モノ」を販売しているだけで、鉱物性燃料の価格に首根っこを押さえられているのだ。**付加価値を生んでいないとも言える**。鉱物性燃料が少し変動しても影響のない状態とはほど遠い。**「モノ」を販売しているだけで、「コト」を販売できていないのである**。原価がいくらかにかかわらず、製品や商品を高く販売できていない。

これは致命的だと思う。付加価値がないから、原価をもとにしか買ってもらえない。だから競合する製品や商品と天秤にかけられて買い叩かれてしまうのだ。しかし、たとえば、ｉＰｈｏｎｅ11の原価がいくらか気になるだろうか。性能が良く、生活を楽しくしてくれるから12万円前後でも購入する。不必要な価格戦争に巻き込まれることもない。

なお、これはかなり厳しい注文を述べている。オリジナリティのある製品や商品を生産できるのであれば誰だって苦労はしない。町工場でプレス部品を生産している社長なら自社製品について、「誰でも生産できるかもしれないが、うちは頑張ってやっている」と言うだろう。その頑張りは尊い。何を選ぶかは個人の自由だ。しかしときに、安さと短納期しかアピールポイントがないケースがある。そうなると消耗戦だ。

ただ、それでも、価格から目を背けてはいけないと私は思う。原価がいくらであっても、機能や付加価値が良ければ、高価格でも買ってもらえる製品や商品を作るよう努力すべきだ。だから、まずは凡庸な結論だが、製品や商品の魅力を高めたり、独自技術を磨いたりせねばならない。

❷-2　デジタルの活用

ところで、コロナ禍における緊急事態宣言時、本来は在宅勤務が必要だったにもかかわらず、会社に出勤するサラリーパーソンが話題になった。満員電車は緩和されたとはいえ、それでもかなりのサラリーパーソンが恐怖心を抱きながらも、オフィスに向かった。

テレビなどのメディアが、サラリーパーソンにマイクを向けると、経営陣や何もしない組合に怒るかと思いきや「やはり、会社にいかないと難しい仕事がある」「紙の資料に押印せねばならない」と語っていた。物流や小売、工場作業者ならまだしも、ホワイトカラーが自ら在宅勤務をしない状況を肯定していた。

コロナ禍では、テレワークなどデジタル対応ができていた会社と、それ以外とを浮かび上がらせたように思う。いまだにＦＡＸで注文を受け付ける会社もあった。人と人の距離を保つソーシャルディスタンスではなく、まさにデジタルディスタンスが浮き彫りになった。

製造業かつ中小企業であっても、好き嫌いではなく、いまこそ大胆にデジタル化を進める必要がある。それは単にテレビ会議システムを導入せよとか、電子押印システムを導入しろ、というだけではない。

ＩＴツールを使った製造物のテストやシミュレーションも、かつてから喧伝されていたが、あまり中小企業には広がっていなかった。しかし、いまこそModel-based

Design（実機の仮想環境でのモデル化）、デジタルツイン（物理空間の機器や設備の稼働状況を仮想空間上に再現）などを導入検討すべきだ。

さらに販売する観点からすると、**バーチャルマーケット**は注目に値する。これは、VR（Virtual Reality）による仮想空間上での販売市だ。VRゴーグルを装着して、文字通り、バーチャルで物を売り買いする市場が急拡大している。さらに先日は、ついに大手自動車メーカーも出展し始めた。一つのトレンドとなりつつある。

リアルな展示会も再開を加速しているが、それでも、まだ不特定多数に触れ合うことに拒否感を持っている買い手は多い。そもそもリアルな展示会は事前登録制などで、訪問人数がかなり絞られているのが現状だ。しかし、バーチャルな展示会であれば、サーバーの負荷はあるとはいえ、基本的には無制限に参加ができる。

出展でも訪問でも、こういうのは、ためしにやってみることが重要だ。VRゴーグルで有名なOculus Riftは購入しても10万円以下だ。社長でも役員でも、ダメもとでとりあえず買ってみたらいい。それが商売につながらなくても、少なくとも話のネタにはなる。

また、自社の展示会でVRコンテンツを作るのは難しいかもしれない。ただ、その場合であっても、ネット展示会として自社の製品を紹介する動画くらいは作れるだろう。動画制作会社に依頼するまでもない。スマホが1台あれば、カメラで撮影すれば誰にだってできる。お金をかけて豪華なコンテンツを作って無反応だったら目も当てられない。それに内容が良かったら、凝った編集は不要だ。

自社だけで集客できないのであれば、複数の会社を集めて、連名で展示会をやってみればいい。そうすると、顧客も紹介し合えるだろう。分野が異なる会社と一緒にやれば、売上を食い合うこともない。それにこんなときに連携するために、日頃、社長たちはゴルフや飲み会などを繰り返していたのではなかったか。

勧めるだけではなく、私も2020年の4月時点でさっそく、ネット展示会への参加を決めた。複数の会社が集まって、それぞれの動画を撮影。展示会のページを開設し、プレスリリースを流したり、各社のメールマガジンで宣伝したりする。ほとんど費用はかからない。2020年にはためしに商品を売り込んでいる。とにかくなんでもやる必要があるので、可能性があればとりあえず試行錯誤するしかない。

また、私がなぜデジタル化によるバーチャル上の商談を勧めるか。それは、その先を見据えている。たとえば、国内の新規取引先がいるとする。しかし、彼らはあなたの工場に訪問できるだろうか。新型コロナウィルス流行前のように、自由にはいかないだろう。実際に、新規の取引先へは訪問を控える動きが続いている。新型コロナウイルスが収まっても、またすぐに新たな疫病が生じるかも知れない。

そのときに、あなたの工場をバーチャルで見学したり監査したりできればどうか。それは一つの優位性になるのは間違いない。さらに、デジタル上であれば、多言語に対応できる。まだまだ同時翻訳は間違いが多いものの、外国の潜在顧客に対してもアピールできるはずだ。

❷-3　製造業のコンサルティング化

私は、製造業に携わるものは、製品や商品に付加価値をつけなければならない、と述べた。さらに、原価が安くても、高く売れる製品や商品を創出するように勧めた。

この回答は意外なところにあるのではないか、と私は思う。それは、製造業者が日頃やっている行為そのものだ。私は自動車メーカーの研究所で働いていた。そして、工場にも頻繁に通った。自動車の製造はノウハウの塊だ。いかに品質の良いものを、早く・速く、そして安定的に、安価に生産するか。

それだけではない。たとえば取引先の管理をいかに行うか。納期を遅れてもらっては困る。しかし、かといってあまりにコストをかけてもらっても困る。さらにやる気をなくされたら協力してもらえなくなる。こういう人間的なことまで、よく考えられている。

私は勤務しながら、「なぜこのノウハウをコンサルティングとして外販しないのだろう」と疑問だった。だから私は、そのあとにコンサルタントになった。もちろん、会社の機密事項を流出させるのはご法度だ。だが、知見を昇華してノウハウ化すれば、誰もが生産を改善できる「型」を作れるはずだ。

同業者に売るのが心配ならば、異業界に限定してノウハウを販売すればいい。単にコンサルティングするだけではなく、製造業者は現場を持っているのだ。現場で新たな施策を繰り返し、効果があったものを、さらにコンサルティングとしてサービスを提供すればいい。つまり、**これからの製造業は、モノづくり＋コンサルティングの形態であるべきだ**。

そうすれば、自社の根幹であるものづくりも捨てず、さらに、原価ゼロで高い売上を上げられる。昨日まで現場で作業していた社員が、翌日はクライアント先でスーツを着て説明する。それはきっと、社員に成長の機会ももたらすはずだ。

サービス業（飲食業）

飲食店は悲惨な状況にある。というのも、**飲食店とは定義上、不要不急かつ3密が前提にある**。それが否定されているのだから、経営が大変なのは当たり前だ。

さらに、デリバリーやテイクアウトが生き残り策だとされている。それは間違いない。店舗に誰も来てくれないのだからしかたない。だから現在、ゴーストキッチン、ゴーストレストランなる言葉が登場している。これは客席をもたずに、調理場だけがある形態だ。飲食店では家賃がコストの多くを占めるので、できるだけ小さな厨房だけのスペースで切り盛りする仕組みだ。

ただ、テイクアウトはまだしも、デリバリーは儲からない。というのも、それを運ぶ業者たちもマージンが必要だ。だから、1000円の弁当を販売しても、30～40％がデリバリー業者に持っていかれてしまう。材料費を引くと、飲食店にはほとんど儲けが残らない。

やらねばならない、でも、儲からない、というジレンマがある。さらに、せっかくデリバリーをしても、客単価が低いと自転車操業のなかで売上を補填することしかできない。

では、何ができるのか。飲食業ができるのは次のとおりだ。

❶−1 意識を変える

こう考えてみよう。この2年間は、従来の6割しかお客が来ないと。この4割減とは現実的な数字だと私は思う。客席を空けて座ってもらうのであれば、半分でも現実に近いだろう。

これは20席のテーブルが、10席しか稼働しないことを意味する。別に、4割減の12席でもいい。肝要は、その状況で利益を上げる方法を考えることだ。夢想でもいい。回転率の考え方も変わってくるだろう。満席になることはない。半分程度しか埋まらないなかで経営の健全化を考えるのだ。

そうすると、これまで避けてきた経営課題と向き合わざるを得ない。つまり、客単価を上げるための方策だ。極論を言えば、客数が4割減っても、客単価が4割ほど上昇すれば問題がない。そんなことは現実的ではない、と思うだろう。しかしやらねばならない。バカげていても、常識はずれでも、客単価を4割ほど上げないといけない。

飲食店は、私が思うところ**「効率と安さだけを求めるお客のために、低価格を提供するもの」と「豪華な雰囲気や快楽を求めるお客のために、高価格を提供するもの」**にわかれている。これはどちらが究極的に素晴らしい、という議論ではない。安さという意味での快楽と、心地よいという快楽にわかれているのだ。

そのときに、前者を選ぶのは大資本しかあり得ない。というよりは、少資本であれば後者を選択するしかない。

よく多様性などという言葉が叫ばれる。しかし、事実は逆だ。飲食店は脱・多様性を求めねばならない。あなたという個人を売り物にするしかない。**多様性ではなく、単独であなたを売りにするのだ**。

つまり飲食店はファンビジネスだ。食事を提供する、という価値定義から、食事を渡す時間を通じてあなたのファンを増やす、と再定義せねばならない。個人しか売り物になる商品はない。

また、安心してほしい。これも極論を言うと、食事がおいしいかどうかは問題にならない。それよりも、人々が求めているのは、リラックスできる感覚や安堵、誰かとの会話だ。しかも、それこそが大資本に勝てる武器になる。500円の定食を、ビールつきで1万円でも払ってくれるように考える必要がある。

スナックは、3密の象徴で集客に苦労していた。しかし、スナックの本質価値は、酒のおいしさではなく、悩みを聞いてもらったり、愚痴を吐露したりできるところだ。だから、スナックはオンライン上でも問題なく開店できた。さらに、コロナ禍でバーチャル・スナックを運営していたところ、これまでならば絶対に触れ合うことのなかったお客と出会うことができ、さらにリアル店舗への誘導が可能となっている。これも本質価値を検討する熟考ゆえだ。儲かるかは別にしても、オンライン・キャバクラなどのサービスも出てきている。デジタル上でも、自社の価値が提供できるかが問われている。

❶-2 情報の発信

先日、イタリアのホテルからメールが届いた。さすがに「今は観光できないだろう」と思った。そうすると、メールはホテルのシェフからのもので、秘伝の料理レシピを教えてくれた。私はかつて、バイオリンの工房を見学するために10日ほどイタリアを巡った。その際に、レストランの食事がとびきりおいしかったホテルだ。

そのメールには、新型コロナウイルスを憂い、そして巣ごもり時期に料理を作って楽しんでほしいと、レシピが公開されていた。秘伝のレシピを公開するわけだから、売上が下がるのではないかと心配するかもしれない。しかし、事実はきっと逆だ。情報を公開して売上が下がることはほぼない。

もっと言えば、情報なんてどんどん公開するべきだ。情報を公開して、それで有名になれば、リアルな売上はさらに上がる。どうせ、レシピを公開しても、そのとおりの味には絶対ならない。むしろ、その味になるのであれば、シェフの価値がないはずだ。レシピを受け取った客は、新型コロナウイルスが収まったころに、本当の味を求めてやってくるに違いない。

次は単純な方程式だ。

●情報公開によるデメリット ∧ 情報公開によるメリット

これは近年では特に正しい。よく考えてほしい。あなたが「秘密」と考えている情報は、そんなに価値があるだろうか。誰でもわかっている情報ではないだろうか。それを隠蔽しても、周りはありがたがってくれない。それならば、**捨て身でもすべてを公開して、そのぶん集客したほうがいい**。

私も個人的な経験から、変に情報を隠さないほうがいいと思っている。それよりも、情報を出すことによって集まってくれる方々が、のちにお客になってくれる。重要なのは情報価値ではないのだ。あなたの時間価値を最大化したほうがいい。情報はダタでも、それを見て集まった方々に、有料で時間を割いたほうがはるかに収益は上がる。極端に言えば、情報は出しまくったほうが良く、人数を集めたらこっちのものなのだ。

❷-1　早めの撤退

飲食店は通常、ＦＬコストといって、Ｆｏｏｄ（材料費）、Ｌａｂｏｒ（人件費）が大半の原価を占める。単価の半分は、ＦＬコストだ。しかも、家賃や光熱費を加算していくと、結局は売上の５％くらいしか残らない。売上の10％が残れば上出来だろう。

さらに、オープンして数カ月は客足が途絶えなかったとしても、そこからは苦戦をする。次々に飲食店は開業しているのだ。ある特定の店に足繁く通うには相当な理由が必要だ。

だからこの先は、早めの撤退が重要だ。何をやって当たるかは神のみぞ知る。私たちにできるのは、事業に思い込みを持ち続けるのではなく、冷静な視点だ。**やってみて、儲からなかったらすぐさま撤退する思考を持つべきだ。**

コロナ禍でもそれなりに生き残っていた飲食業は、取り急ぎ、儲かっていない店舗を閉めた。繁盛店のみ、継続して営業を続けた。そして、バイトには休んでもらい、本社で時間のできた社員を現場に投入して稼働率を上げた。雇用助成金でなんとか嵐が過ぎるのを待ちながら、同時に家賃を減額交渉するなど、固定費の削減に努めた。

さらに閉めた店舗で働く社員は、同じく稼働店に行くか、あるいは新規メニュー開発などに従業させていた。馴染みの客には、稼働店への誘導を促し、なんとか事業を継続させた。日本人は、どうしても、開店させた店を挽回しようと頑張る傾向にある。しかし、多くは下りのエスカレーターを登るような徒労に襲われる。

早めに撤退する勇気を持ち、サンクコストを最小限に抑える覚悟もときに必要だ。

同時に、自分たちが提供しているものの価値がどこにあるのか、再定義が必要だろう。

❷－2 価値の再定義

たとえば、スナックの例を挙げた。もしスナックがお客の悩みを聞く場所だとすると、極端な話、おつまみや酒の種類はこだわる必要がない。それよりも、ママがコーチングやヒアリングのスキルを上げたほうがお客のニーズには合致することになる。極論とはいえ、冗談ではない。

キャバクラなどはどうだろうか。同じく酒の種類も大切だろうが、もっと重要視するべきは接待により、お客に楽しんでもらうことだろう。あえてそのように解釈できれば、女性がドレスを着て、３密の空間で隣に座ることはない。

たとえば、「海の家」のように海岸や川沿いでバーベキューをやってもいい。土日に昼間からお客と肉を焼く。そうすると、普段では見られない女性の容貌をお客に見せることになるし、魅せられるだろう。非日常の環境がゆえに、お客は高級ワインを何本も空けてくれるかもしれない。

また、あまり一般的には知られていないものの、ライブハウスは飲食店としても営業している。コロナ禍の際にメディアで「飲食店やライブハウスは大変ですね」と語られていたが、そもそも飲食店という大集合のなかに、中カテゴリであるライブハウスが存在する。ライブハウスの本質は、アーティストのリアルな演奏を聴くことにある。そして場を共有することに価値がある。なぜだかわからないが、目の前で必死に演奏する人間を見て、私たちは感動するのだ。

演奏の動画やＤＶＤを観ても感動するけれども、やはり生の迫力にはかなわない。ならばＶＲ（仮想空間）でのライブを提供すればいい。ライブハウスでは、残念ながら、定員の数分の１しか動員できないかもしれない。しかし、その一つの席からＶＲでの配信を行う。お客には遠隔で、ＶＲヘッドセットで生の演奏を感じてもらう。そうすれば、全国から参加できるはずで、これまでお客にならなかった地域をすくい上げられる。

また３密を避け、ライブをリアルで楽しんでくれるお客には10倍の価格でチケットを売るといった検討も進んでいる。これを機会に、リアルとネットを差別化するのだ。

小売業

以前、小売店の経営者から「毎月25日にもっとも商品が売れると考えてはいけません」と聞いて驚いた記憶がある。25日とは企業の給料日のはず。私は給料日がもっとも〝売れる日〟であると思っていたので、その座を奪った日にちと理由を知りたかった。

その方は、15日だと教えてくれた。笑いながら「きっと、年金支給日だからでしょう。支給は隔月のはずなのですが、シニアの消費活動を慣例に従うのかもしれない」と教えてくれた。ありていに言えば、私たちは少子高齢化社会に生きており、消費の主体が若者ではなくシニアに移っているということだろう。だからこそ、15日が主戦場であるとわかれば、そこに合わせたセールを展開できる。

また、シニアが相手だとわかれば、小売店舗のPOP文字を大きくするべきだろうし、スーパーマーケットでは食品売り場でシニアが好みそうな食材を勧めるべきだ。ただ、それにしても意外だったのは、「あと、売れ行きがいいのは毎月1日です」と教えてくれたことだった。「これは想像ですが、きっと失業保険の支給日だからではないでしょうか」と仮説を披露していただいた際には、不遜ながら笑ってしまった。なるほど、落日の国家で消費の主人公となっているのは、シニアと失業者なのかと腑に落ちたからだ。

ただ、ここで伝えたいのは、どこまでも基本にすぎない小売業の施策だ。お客の姿を予想し、そのお客がほしがる商品を売ればいい、という当然の帰結である。

当たり前を当たり前にやるために

ところで、話は変わるようだが、20歳も離れた女性とデートをした。コロナ禍の前、山梨県の片田舎でのことだ。甘酸っぱい思い出ではなく、私はそのとき、ベトナムからの技能実習生たちの休日に同行していた。彼女たちは休日になると近くのショッピングモールでフードコートに集まりおしゃべりをしている。

「お金を貯めたいので休日はやることがありません。それにここは故郷を思い出します」

なんと、モールが記憶装置として作動していたのだ。仕事で地方に出向く。そのときできるだけ商店街を歩くようにしている。残念ながら多くは、シャッター街だ。更地にしてしまうと固定資産税も高くなるから、2階に元店主が住んだままシャッターが降ろされている。風俗店とパチンコ、そして飲み屋がかろうじて生き延びている。地元の方から話を聞くと、「多様性」というキーワードが出てくる。郊外の量販店や、大型スーパーマーケット、ショッピングモールだけでは味気ない。顔の見える地元の商店に戻ってきてほしいという。

しかし、それは本当だろうか。ショッピングモールのほうが無数の商品が売られ、映画館やゲーセンまである。よっぽど多様性が確保されている。ファストファッションやスポーツグッズも買える。商店街には駐車場もないし、疲れて座るベンチもない。そもそも商店街って、そこでしか買えないものって、そんなに売っているだろうか？　商店街の生き延び策として、催事に補助金を出したり、行政の職員に昼食を食べに来てもらうように促したりするらしい。しかしそれは本質的だろうか。逆に、そこでしか味わえない飲食を提供している店や旅館は生き延びている。ただ、卓越した商品を提供できない店舗はどうすればいいだろうか。

❶—1　ニーズを予想する

コロナ禍で増毛サービスが売れた、と聞くと意外だろうか。女性向けの化粧品が売れないのと対象的だった。化粧品が売れなくなったのは、簡単に言えば、コロナ禍で出かける場所がなかったからだ。

一方で、増毛サービスはなぜ必要とされたのだろうか。それには、テレビ会議の急増がある。私もテレビ会議で、面談やセミナー、講演をする機会が増えた。そうすると、視線が自分のほうを向く。さらに、誰もがディスプレイに映った自分自身を見ている。卒業文集を開いた際に、誰もが昔の自分を探すらしい。皆、結局は、自分が好きなのだ。

男性は特に、これほど自分の顔を数時間にわたって見続ける経験はさほどない。自分の髪の毛が薄くなったことにも自覚的になる。他人はあなたを見ていないかもしれない。でも、自分自身は気になるのだ。それが増毛サービスの需要増につながっていく。

私は増毛サービスを強調したいわけではない。私が述べたいのは、社会の変化に商売人が追随しなければいけない点だ。起業家あるいは企業人とは、社会の変化に好機を見つけ、求められる商品を絶え間なく提供し続ける責務を負っている。とすれば、社会全体が不景気になったから自分のビジネスもダメになる、と短絡的に考えてはいけない。そのいっぽうで、売れるようになった商品もあるはずなのだ。それを**嗅覚よく捉え、事業を変革する必要がある。少なくとも、小売業は売り物を変化させるべきだ。**

それには想像力が要る。たとえばコロナ禍を自分ごとと考えたら、衣料品は売れないとわかったはずだ。化粧品と同じく、着ていく場所がないから。それでもよそ行きの衣料品を販売している店舗の神経が私はわからなかった。世の中が求めていない商品を販売し続けてどうするというのだろう。

逆に売れたのは、スポーツウエアや機能性のある衣料だった。当たり前だ。コロナ禍でも運動不足解消のためにジョギングくらいはするかもしれない。さらに、自宅に居る時間が多くなれば、かっこいいが動きにくい衣料よりも、可動しやすさを選ぶはずだ。靴も同じく、ビジネスシューズは売れなかった。でも、ジョギングシューズはマシだった。

ビジネスバッグは売れず、ただし、買い物バッグは売れた。自宅で料理をする機会が増えたからだ。これも出社は控えつつも、スーパーマーケットに行く人が増えたことを想像できれば、おのずと予想される。

不景気には自動車のような耐久消費財は売れなくなる。ただし、同じ耐久消費財でもオフィス家具が売れたのは、自宅でのテレビ会議が増え、仕事場を確保したい男性のニーズによるものだった。

また、美容家電は売れなかった。ただし、掃除機は売れた。これも自宅にいる時間が増えることで、自宅内の活動量が増えるし、何よりも部屋の未整理や不潔さが気になってしかたがなかったのだ。通常ならば重衣料が活躍する年末に日本では掃除グッズが売れるが、新型コロナウイルスは消費の常識すらも変化させているようだ。

加えて、宝飾類が売れずに、健康食品が売れたのも想像力があればわかる、と言うべきだろうか。宝飾品が不調なのは、もちろん身につける機会がないためと、所得の減少を見越してのことだった。そんなものにお金を使うのであれば、新型コロナウイルスに感染しないように免疫力を高める健康食品に支出するのだ。

❶-2　つながりを創出する

小売店は、当たり前だが、店員がいる。店員と仲が良いから商品を買ってくれるケースは意外に多いものだ。また、特定の店員が勧めてくれるからと、お金を出してくれるなじみ客もいる。

もちろんウェブでも、チャット機能などで同様の取り組みを行っている。しかし、やはりまだリアルな店員そのものの魅力が勝っているのは間違いない。コロナ禍で市民活動の大幅な規制が解除されたニューヨークにおいて、百貨店の前で人々が「やはり誰かと話して買い物をするのは楽しい」と言っていたのが象徴的だ。さらに、ネットに勝つのはそのリアルさをいかに活用するかだ。

ただ、その店員の魅力を完全に引き出している例はあまりない。

やや極端な例だが、面白い話がある。これはMA（マーケティング・オートメーション）を活用した仕組みだ。MAとは、簡単に言えば、各顧客にあった情報を提供できるシステムと思ってもらえばいい。

あるアパレルショップがある。常連客はメールアドレスなどの個人情報を備蓄している。男性客には、それぞれ好みの女性店員がいる。新作の商品が入荷した際には、その女性店員が、男性に直接メールを送付する。これだけでも、かなり食指が動く男性客は多いだろう。

さらに狡猾な点がある。MAでは、その男性客がいつ新作を紹介するホームページを開いてくれたかが確認できる。加えて、紹介した新作衣類ではなく、違うものが気になっていたとしたら、どの商品を何分くらい閲覧していたかがわかる。また、離脱といって、買わずにサイトを去ったかどうかもわかる。

そうすれば、アパレル店の本社は、現場の女性店員に連絡をする。女性店員はただちに男性客に電話をかける。私がその男性だったら、驚くだろう。「電話ありがとうございます。実は今、たまたまサイトを見ていたんです」といった会話が始まる。そこで女性店員がこう言ったらどうだろうか。「そうなんですね。でも、実はメールをした商品以外に勧めたいものがあります」と、その男性が気になって眺めていた商品を勧めてあげる。

男性は「え！　実は、私も気になっていたんです」と、運命の恋を予感するかのような気持ちになるかもしれない。「◯◯さんにはお似合いと思いまして、ご連絡したんです！　偶然ですね」と女性店員が畳み掛ければ、男性客はきっと、その商品を買ってしまうだろう。

この倫理性は問わない。ただ、現実には、こういった顧客対応がMAによって実現している。これで「店舗でも、ネットでも」の体制が強化できるのだ。このときに「ネットで買ってもらっても、私の営業成績になりませんので、店に来てください」と言ってしまっては、そのうち大半を取りこぼすだろう。お客が、店舗でもネットでも、どこでもストレスなく購入できることを、「オムニチャネル」と呼ぶ。**媒体によらないシームレスな経験を提供する**ものだ。

また、オムニチャネルは、店舗→ウェブだけではなく、ウェブ→店舗も同じくシームレス化する。ウェブで注文したものを、店舗で受け取りたいというお客はたくさんいる。それは、もちろん食料品や玩具だけではなく、衣類なども同じだ。

前述のＭＡは、数年前なら高価だったが、今では機能が限られてよければ無料のトライアル版すらある。活用法とシナリオを考えて、あとは試行してみればいい。ただ、そのＭＡであってすら、中小零細企業なら難しい、という人もいるだろう。

その場合は、店員とお客とのつながりを強化するために、何かできないか考えてみるべきだ。ありがちだけれど、店員の胸プレートに出身地や名前を書くでもいいし、ＳＮＳの活用でもいい。店員の顔が見えないネットに対抗するためだ。

幼稚な話だが、私たちの会社からも一つ例を挙げたい。企業のメールマガジンはほとんど開封されなくなっている。みなさんも逆の立場で考えてみればいい。あれだけ無数に届いている企業のメールマガジンを開くだろうか。解除はしなくても、すぐに整理したり、削除したりするはずだ。この10年間で開封率は相当悪くなった。

そこで私たちは女性社員の個人名でメールマガジンを送付することにした。infoから始まるアドレスは、どうせ企業宣伝しか書かれていないだろうと思われる。そこで女性の個人名で、さらには、内容も女性社員の日記を中心にした。もちろん、それだけではなく私たちのサービスを紹介するが、驚くほど開封率が上がった。それにつられて、「初めてメールマガジンを読んでみましたが面白いですね」と本業のサービスを注文してくれる人が急増した。

彼女の日記をまとめた冊子を作成したり、あるいは、特別コンテンツを作ったりした。かなりのリード（見込み顧客）を獲得できたのはいうまでもない。私は**「人間が興味あるのは、やはり人間なんだな」**と再認識するに至った。

❶-3　空間価値

私は、小売においては徹底的な効率化か、徹底的な非合理しか残らないだろうと考えている。Ａｍａｚｏｎや楽天、Ｙａｈｏｏ！ショッピングなどは前者だ。そして、ヴイレッジヴァンガードやドン・キホーテが後者である。固有名詞にさほど意味はない。前者は**「安い」「速い」「探しやすい」**を特徴とする。後者は**「面白い」「何があるかわからない」「ゴチャゴチャしている」**を特徴とする。この両極端な二つに商機を見出す。なぜならば、近くにあるスーパーマーケットならまだしも、何か購入しようと効率さを求めるのであれば、ネット一択だろう。前述のとおり、店員そのものを活用できない業態の場合、非合理を徹底していくべきだ。

たとえば、ドン・キホーテ。圧縮陳列と呼ばれる、恐ろしい数を展示している。成人男性の背が届かない場所にも、ところせましと陳列するさまは、ある意味で圧巻だ。入り口から入ったら最後、迷路のような店舗で、迂回しなければ前に進めない。コスプレが飾ってあると思ったら、隣にはTENGAがあり、「これは何?」と子どもが母親に困らせる質問をしている様子を見るのは――これは褒め言葉なのだが――ドン・キホーテしかない。

深夜に、何か面白いものを求めてお客はやって来る。酔いもあって、無駄なものも購入する。ドン・キホーテが相手にしているのは、東京ディズニーリゾートやユニバーサルスタジオジャパンのように、アミューズメント施設を求めるお客だと私は理解している。コロナ禍では難しかったが、外国人旅行者たちも、秘境とエンタメを求めてドン・キホーテにやって来ていた。

東京ディズニーランドでは、内部からどう頑張っても、外にある桜の花を見ることはできない。春に桜の花が見えてしまうのは、日本的なものを感じさせるからだ。あくまで東京ディズニーランドは完結した夢の国でなければならない。

さらに、アウトレットモールでも、建物が内向きになっていると知られている。一度そこにやってきたお客は、アウトレットモールのなかの住人にならねばならない。そこで思いっきり消費を楽しむぞ、という住人だ。そこでは、ほかの商業施設を頭に思い浮かべてはならないし、さらに比較してもならない。

窓がなく、入ったお客にまさに密林を感じさせるドン・キホーテもまた、近代日本商業界における一つの発明だと私は思う。

❶-4　お客、この疲れやすきもの

私が子どものころ、佐賀県の田舎に住んでいた。なぜか異常に書店が好きだった。零細書店は近くにあったが、両親に車で中規模書店へ連れて行ってもらうのが楽しみだった。

するど、今でも記憶にあるのだが、父親がすぐさま「まだ決まらないのか、帰るぞ」と繰り返した。もっとも、私が本当に選ぶのが遅かったのか、確認する術はない。ただ子どもの私にとっては、入店して帰るまでの時間が一瞬にように感じられた。唯一良かったのは、大人になったら、迷ったら書籍をすべて買う癖がついたことだった。

ただ、私は子どものころ、在店時間がもっと長かったら、より多くの本と出会えていたはずだった。そんな私が、子どもをもつ立場になった。そこでようやくわかったのだが、店は疲れるのだ。店に入ると、ほどなくして「帰ろう」と私は言っている。妻から衣類のことを聞かれても、「どっちでもいいから早く選んで、ここを出よう」と言っているらしい。

私のような同伴者が疲れてしまい帰宅を促すと、売上が下がる。どうしても買いたい物は別かもしれない。でも、この時代、たった数パーセントであっても、みすみすと売上を逃すのは惜しい。

くだらないと思わないでほしい。実際に百貨店では、少子高齢化のなかで、休憩の椅子を増やしている。それが売上に貢献しているようだ。奥様と一緒にやってきた旦那が、そこに座ってスマホを見ている。同様に、あなたの店舗は、お客を疲れさせない工夫が施されているだろうか。椅子があっても、その硬さで疲労度は違う。以前は、回転率を良くするために、カフェでは硬めの椅子を使った。じっくり選んでほしいなら、その逆を行えばいい。

アウトレットモールでも、母親たちが好みそうな店舗の横には、アスレチック施設が配置されている。あるいは、カフェなどがある。母親たちが商品を確認し、やっと買ってくれそうなときに、子どもや父親たちに「もう出よう」と言わせないためだ。その観点からアウトレットモールを眺めると、人間を肉体的にも配慮しているので勉強になるだろう。女性靴の店舗前では、きっと宝飾品店舗などが並んでいるだろう。それは、靴のサイズ違いを店員が探してくれているとき、自然に店舗の外に目が行くからだ。

話を戻す。私は、商店街やショッピングモールなどで、「受付送付サービスを開始したほうがいい」と提案したことがある。それぞれのショップで買い物を楽しんだ際に、「荷物は、受付に送っておきますので、手ぶらでショッピングをお楽しみください」と伝え、お客は帰る際に、まとめてその日に購入した商品を受け取る。肉体的に商品の重さから開放されるので、疲れも軽減できる。何よりも、より商品を購入しようと思うだろう。劇的に伸びるかはわからないが、数パーセントでも伸びれば、中長期的には大きな収益を稼ぐだろう。

受付への配送途中で商品が傷んでしまったら誰が責任を持つのか、という理由で採用されなかったが、今でも私は、**肉体的な疲労からの開放が小売店には重要ではないかと信じている。**

❶-5　面倒な消費者たちを理解する

そして同時に考えておきたいのは、テレビの存在だ。テレビと小売業、いかに関係があるのか。私は、お客の受動性だと思う。

たとえば実験が行われているように、冷蔵庫をタダで配るビジネスモデルがあったらどうだろうか。家電メーカーが利益を得る方法としては、次のとおりだ。

ＩｏＴ（Internet of Things～モノのインターネット）が喧伝されている。そこで冷蔵庫にセンサーを張り巡らせておく。そうすると、卵が残り二つしかないとか、牛乳がもう切れている、といった情報を入手できる。カメラと連携すれば、家族の誰かの嗜好も理解できる。その情報を近くにある小売店に冷蔵庫が情報を飛ばす。そうすると、小売店は家庭に向けて自動的に補充する商品を宅配する。家電メーカーはそのマージンで儲かる仕組みだ。

Ａｍａｚｏｎダッシュという、洗剤などの補充ボタンがある。今ではボタンすら押さなくても、Ａｍａｚｏｎエコーに「アレクサ！　あれ買っておいて」と言えば買い物が完了する。消費者の手間暇を極限まで減らしていくことが重要だ。声を出すのも面倒くさい、という層は確実に存在する。勝手に持って来てもらって、消費量だけを支払うことができれば重宝される。

もっとも、この冷蔵庫の話は一つのたとえであって、これだけを推薦するものではない。小売業として、**いかに受動的な消費者を満足させるかがカギだ。**

Ａｍａｚｏｎの話をもう一つ付け加えると、同社は「anticipatory shipping」という特許を出願した。これは予測発送とでも訳せる技術だ。過去の購買ビッグデータを活用して需要を予測し、注文の前に発送してしまおうというものである。

たとえば、気温や湿度、天気などのデータがあれば、飲料だとか医薬品などが、どの地域でどれくらい売れるかはビッグデータを活用すれば予想できてしまう。発送してしまい、トラックが住宅街の近くにやってきたときに、実際、消費者が注文ボタンを押せば、即納できる。さらに、レコメンドシステムを使って商品を推奨もできる。Amazonでよく見かける「この商品を買った人は、これも買っています」というアレである。

中小零細企業では難しいと思うかもしれない。もちろん、AmazonはAWS、GoogleはGCPといったAIのシステムを外販しているから、やる気になればできる。実際に私自身で機械学習のプログラミングを作成し動かしてみたら、異常なほど安価な価格で実装できた。とはいえ、人材の問題もあって、AIなどを扱えない中小零細企業も多いだろう。

大掛かりなAIシステムを作るのは難しいかもしれない。ただ、エクセルで充分なので、来店した人には、過去の購入履歴などをもとに商品を勧めていきたい。

不動産業

私は不動産業者の顧問をしている。だから、不動産業に関する内容は、ポジショントークだと思ったほうが良い。発信者がどういう人間であれ、自分の立ち位置に自由な発言はできないものだ。

さて、不動産業者といってもいろいろある。土地の売買を中心とするものや、賃貸斡旋、住宅販売、広くはデベロッパーまで。ここでは、一般的な住宅販売を取り上げる。

よく、賃貸が良いか持ち家が良いか論争がある。まず、基本的には経済学的には議論しても仕方がない。賃貸は結局、大家にお金を払うだけで最終的に家の自分のものにならないと言われる。しかし、持ち家はそのぶん借金というリスクを抱える。さらに、払い終わったあとに、それまでに払ったお金の価値があるかはわからない。

こういう例を考えてみよう。預貯金として500万円持っている人がいるとする。その人が4000万円の借金をする。そして、その4000万円をすべて株式投資につぎこむ。年間5％の利回りがあるとすると、200万円だ。そうすると、月に17万円。その17万円があれば、かなりの賃貸住宅に住めるだろう。

ただし、身近にこういう人がいれば、「おいおい、さすがに危険じゃないのか」と株式投資を止めるよう勧めるかもしれない。たとえば、自分の子どもが「4000万円を借金して、株につっこむよ」と言ったら多くの親は止めるだろう。面白いのは、この〝株式投資〟を〝住宅購入〟に置き換えるだけで、誰も危険と思わないことだ。

考えてみれば、やっていることは変わらない。借金をして、未来に投資する。不動産は安定かというと、これまでの歴史が語るとおり、上昇や下降を繰り返す。株式は、インデックス投資であればむしろ歴史的には上昇傾向にある。インデックス投資とは、理論的に株式全体に投資をすることだ。資本主義社会とは、世界の経済が成長することを前提としているから、株式市場全体に投資していれば伸び続ける。

だから、借金をして家を買うのも、借金をして株式投資するのも変わらない。

だいぶ前のことだが、私がテレビ番組で「賃貸と持ち家、どちらが良いか、議論に参加してほしい」と言われた。私は「議論しても意味がないですよ」と言った。その理由は、どっちも同じだからだが、もう一つは「悩む人は賃貸しかない」と思ったからでもある。どっちでもいいなら、リスクの少ない賃貸のほうがマシだ。

しかし、ここでややこしい話をする。文化の問題だ。日本で4000万円の借金をして株式投資する人、あるいはその勇気がある人がどれだけいるだろうか。ほとんどいないに違いない。

さらに、賃貸で過ごすならば、老後に住宅費の蓄えは必須だ。先日、老後2000万円問題が浮上した。これは、定年後に年金だけでは足りず、概算で2000万円が必要だという試算が大炎上したものだ。ただ注意すべきは、モデルケースとして持ち家の夫婦が使われていることである。これであれば住宅の補修費しか計上されず、賃貸ならば、老後不足金は2000万円どころか、4000～5000万円にも膨らんでしまう。

私は不動産業者の顧問になったが、現実には、賃貸派の多くがほとんど蓄財していない現実があった。賃貸も持ち家も理屈では変わらないと説く本は出版されている。だいぶ前に書いた私の本にも、そう記してある。理論的には正しい。ただし賃貸であれば、住宅以外の資産をしっかりと形成するのが前提となっている。

しかし現実的には、定年まで賃貸で、かつなんの蓄財もしていない人たちが異常なほどたくさんいると気づいた。なんといっても、この狭い国土で1000万人もの消費者金融利用者がいるのだ。

不動産業者がお客候補に住宅購入を決めてもらい、住宅ローン審査をすると、隠れ借金が判明する場合がある。もちろん住宅ローンは通らない。そうなれば賃貸を続けるしかなく、結局は財産を残せない。だから私はこの数年で考えを変えるに至った。今では「何も考えるつもりも、気持ちもないのであれば、借金のない人は家を買ったほうがいいですよ」と言うようにしている。最終的には、それで棲家を得られるからだ。

不動産業者は、理屈と、同時に現実を冷静に説明しながら、住宅検討を勧める必要がある。

これからの不動産業者

新型コロナウイルスの影響で、人々は将来に不安を感じている。賞与も減っているし、何よりも雇用が脅かされている。だから、住宅購入に逡巡する人たちは多い。また、「何も考えるつもりも、気持ちもないのであれば、借金のない人は家を買ったほうがいいですよ」と言ったものの、当然、買うならば価値がある物件のほうがいいに決まっている。

これから不動産業者は、お客の人生をトータルサポートする方向に行く必要がある。住宅を販売して終わりではない。住宅購入を通じて、支出や預貯金を管理し、どのように資産形成を成し遂げるかを指南する。そして、日本は災害大国だ。住宅という物理的な設備を使って、お客の生命を守ることまで掲げる必要がある。これからは誰もが家を買える時代ではない。**住宅という〝モノ〟ではなく、人生１００年時代の過ごし方という〝コト〟を販売するのが、新型コロナウイルス時代の不動産業者のあり方だ。**

たとえば、各都道府県の人口推計がある。日本は人口減少国家であり、さらに少子高齢化も進んでいる。国民の数は、ダイレクトにＧＤＰなどの減少にはつながらない。しかし多くの場合、経済の基盤は人口に左右されるから、人口減少の時代においては土地を購入しても、下落が続くように思える。

ただし、都道府県ごとに見ると、だいぶ一筋縄ではないとわかる。関東圏や沖縄などは、数十年にわたって、なかなかしぶとく人口を維持する。コロナ禍で地方の注目が上がったとされるが、もしなんらかの情報で地方の地価が上がる兆候があれば、お客に提示するべきだろう。なんにしても、買ってもらったら「はい、おしまい。その後は知らない」のではなく、お客の人生をサポートしなければならない。

ところで、新型コロナウイルスの影響で、都市一極集中は見直され、地方にオフィスや住宅を構えるブームがやってくると喧伝されたが、それほどまで大きな地方ブームはやってこないように思う。都市化の流れがやはり効率的だし、地方に住むと、テレワークがどれだけ推進しようとも、やはり対人コミュニケーションに難があるからだ。

しかし、それでも地方が全滅ということではない。さきほど、各都道府県の人口推計を挙げた。これをブレイクダウンした都市版も国が公開している。確認すると、意外にも多くの都市が健闘している。たとえば私は佐賀県の出身だが、地方行政で頑張っている鳥栖市などは2045年に人口をプラスで維持している予測になる。もっとも鳥栖市は一つの例にすぎない。これら、今後も伸びるはずの都市のなかで、正しい情報を提示したほうがいい。

逆に、人口が減少すると、土地の買い手が少なくなるわけだから、地価も下落する可能性は高い。そのなかでも、もし駅ができる、特定施設ができる、集合住宅ができる、等々の地価が上がる要因があれば、情報収集をしてしっかりと伝える機能が不動産業者に必要だ。

不動産業者と縁遠い読者がいれば、私が何か当然のことを書き続けているように思うだろう。実は、私も、近くに身を置いて驚いた。街の不動産屋は、年に数件の物件を販売するだけでやっていけるのだ。仲介手数料だけで、ほとんど手間暇なく売上を確保できる。夜の街には不動産業者の社長が多いが、それもうなずける。一つの販売が完了すれば、数百万円単位のお金が入ってくるのだ。失礼だが、自分が生きていくだけだったら、あまり積極的に営業を重ねない会社もある。だからこそ、これからは当然の情報収集と提供が重要だと思う。

不動産業者＝ファイナンシャルプランナー

これから、不動産業者はお客の資産状況までをコンサルティングしていくべきだろう。たとえば、漠然とお金を使い続けている人々は多い。「定期保険」「終身保険」「養老保険」「ガン保険」など、各種保険がどれくらい必要かわかっていない人は少なくない。さらに、そもそも加入しているのか知らない人もいるくらいだ。しかし、住宅を購入すれば、住宅ローンに団体信用生命保険が無料でセットになるため、これら保険の大半は不要になる。

一流企業の勤め人はさておき、多くの会社員は生涯に2億円を稼ぐ。税金で4000万円が持っていかれ、1億6000万円しか残らない。そして、その1億6000万円は、無策ならば定年後にほとんど残らない。統計上も、預貯金を持っている人は少ない。あとは、年金だけで生き延びる必要がある。繰り返すと、老後2000万円不足問題は持ち家の場合であり、賃貸で過ごして来た人は、さらに家賃分の負担が増加する。

また、人生は100年に延びる。現在でさえ平均寿命は、女性は87歳、男性は81歳に至っている。長生きは素晴らしいことに違いがないものの、個人からすると、まさにリスクといえる時代に突入する。

年金はなくならない。そのときの現役世代から吸い上げたぶんを分配するし、さらに年金を撤廃すると公約に掲げたり、実行したりする政治家も当分は現れないだろう。ただし、年金の額が減少したり、もらえる年齢が引き上げられたりする可能性はもちろんある。そうなると、家なき「子」ならぬ、家なき「シニア」が街中にあふれるかもしれない。実際には、日本には生活保護があるから、ホームレスがあふれるという意味ではなく、生活苦の意味だ。

その意味で、住宅は最後の医療施設ともいえる。慣れ親しんだ家のなかで過ごすか、あるいは、定年後にお金が尽き果て、地方のどこかに引っ越す必要があるかによって精神的に違いが出る。その違いは体調などの健康面に影響を与えるだろう。

そこで私は、これからの不動産業者はファイナンシャルプランナーにならなければならないと言っている。というのも、家計のなかでもっとも大きな固定費は家賃だ。その家賃支出を変えなければ資産形成ができるはずはない。

ファイナンシャルプランナーはあくまで机上の計算を行う。なかには、自分が勧めたい金融商品を仲介するだけの人もいる。よく、ファイナンシャルプランナーは「飲み会の回数を減らせ」「携帯のプランを変えろ」「服を買う回数を減らせ」「不要な保険を解約しろ」などとアドバイスをくれるが、そんなことを小手先でやってもほとんど意味がない。住居費にメスを入れないと、ささやかな金額しか効果がないのは明確だ。

たとえば独身で月に7万円の賃貸に住んでいるとする。現在では、住宅の進化がめざましく、とくに地方であれば賃貸以上の物件に住むことは可能だ。つまり地方では狭い7万円と、そして、同じ7万円で将来には自分のものになる快適な持ち家がどちらも存在するのだ。これは単に知識差が生む格差といっていい。地元の不動産業者は、お客に教育をしていないのだ。もったいない。

これから、不動産業者がお客に提示する住宅価値は、次のとおりだろう。

●金銭的メリットとしては、国の政策である住宅ローンが凄いこと（自己資金無し・35年の長期返済・過去最低金利・住宅ローン減税が受けられる・団体信用生命保険で無駄な保険排除であること）

●ローンが終われば住居費がかからないこと。老後の家賃ゼロ化と、安心できる住居地が確保できること

●北関東は、将来ほぼ100％の確率で地震被害に遭う。その現状に対して、「耐震」「制震」「免震」を実現した住宅が手に入ること

●自社が人生100年時代の同伴者になれること

家を買うというのは、個人にとって一大事だ。しかし、不動産業者にとってみれば、よくある販売の一例にすぎない。この乖離を埋めることが大切だ。その意味で、**人生100年の〝同伴者〟にならねばならない**。

現在ではリバースモーゲージなど、住宅を担保にお金を借りることもできる。リバースモーゲージとは自宅に一生、住み続けながら融資が受けられるものだ。夫婦が死亡時にのみ、住宅・土地で一括返済すれば良いことになっている。金融機関は老後資金を提供する。そうすれば、生きている間に、満足する資金を確保できるが、それは価値のある住宅でなければならない。融資額を大きくするためには、資産価値が高いと評価される住宅を購入しておかねばならないのだ。

そして住宅ローンをどのように組めば、固定費がどのように減って、変動費がどのようになって、老後不足金がどれくらい圧縮されるのか、あるいは余剰金が出るのかを試算してあげるべきだ。そこまで面倒を見てからやっと、これからの不動産業者になれる。なぜなら、家を売った相手が、老後2000万円の不足が生じるかもしれないのだ。家という最大の売り物を買ってくれる相手を、ないがしろにして良いはずがない。

フリーランス

フリーランスとは、よく自由業と翻訳される。私は間違いだと思う。フリー＝自由ではなく、**フリー＝タダの意味だ**。これを読んでいる読者が自由業ならば、打ち合わせに呼ばれて情報だけを吸い上げられて、結局、仕事につながらなかった、という経験をもっているだろう。フリーランスは、タダだと思われているからだ。

だから、**このコロナ禍を機会に、「動いたら、すべて有料」と覚悟を決めて請求しなければならない**。冷静に考えてほしい。動いたら有料、のポリシーでやれば、少なからぬ顧客はあなたを避けるだろう。しかし、お金を払わない人は、本当に「顧客」だろうか。

日本企業は、ジョブ型ではなく、メンバーシップ型を採用してきた。ジョブ型とは、それぞれ必要な仕事を社内のプロに任せる仕組み。メンバーシップ型とは、とりあえず組織に入ってもらって、その後に、仕事のやり方を覚えてもらって、全体で動かす仕組みだ。だから、文系の文学部出身の人たちが、ＳＥ（システムエンジニア）として採用され、まずは仲間になってください、と採用が行われる。

そして、その隙間を埋めるのがフリーランスである。メンバーシップ型では、どうしても、一部のスキルが足らない。だから、外部からフリーランスを招聘する。ただ、組織人は、フリーランスも動いてくれたらコストが発生するという意識に乏しい。

私も独立してすぐに、新幹線で数時間もかかる地域の方から「来てくれませんか」

と言われて、のこのことお邪魔した経験がある。ただ、なぜ訪問する必要があったのかは不明。メールでもじゅうぶんじゃないかと思った。情報交換したいと言われたが、単に聞かれて終わり。会議に担当者は遅れてやってきたし、取引先のコストを考えたこともないのは明白だった。

だから、厳しい道ではあるが、費用が発生しない仕事はしない、くらいの心持ちが重要だ。考えてみるに、タダ働きをするくらいなら、学習しながら商品作成をしていたほうが、中長期的に見て良いのではないだろうか。タダ働きしたお客から、最終的に仕事を受注しているだろうか。していないケースが大半ではないか。

事業の複線化と同時に複数回化

これまで、売上げが減るリスクを軽減するために、事業の複線化については述べた。同時に、フリーであれば志向したいのは、複数回化だ。誰もが私のような仕事ではないから、あくまで一例としてヒントにしてほしい。

肝要は**「一度やった仕事を、いかに複数回の収益につなげるか」**だ。私は現在、コンサルティング業務に従業していると言った。クライアントの機密事項を扱うから、固有名詞や業務内容を公開することはご法度だ。ただ、コンサルティングのなかで新たな発見が多くある。さらに、現場の実情や、必要にかられて考えなければならなかったロジックなど、仕事がなければ得られなかったことばかりだ。

秘密保持契約の範囲外だったり、私が想起したりした内容は、私が自由に公開できる。そこで、私はコンサルティングが終わると同時に、その過程で得た知見を、かならずセミナーにすることにした。資料も、客先提出資料をそのままは使えないが、ゼロから作るよりも早い。

さらに、それを撮影して動画を販売する。すると地方の方々にも販売ができる。そこから、オンライン講義も作成した。また、その動画をもとに、書籍を書き上げる。書籍を出すと、ミニ講演や、どこかで話す機会がある。それを録音しておいて、音声ファイルを販売してもいいし、さらに文字起こしすればブログのネタにもなる。

延長線上に、新たなコンサルティングサービスのパンフレットも作成できる。また、デザイナーにお金を払って、ブログコンテンツの傑作選を集め、それを小冊子にする。無料で公開し、そこで見込み客を集める。

　このように、一回やった仕事からは、無数のメディアに転用できる可能性があると考えねばならない。そして、活動のなかでできるだけ多く、潜在顧客からメールアドレスなどの個人情報を得る。もちろん相手の許可を得てからもし新商品があったら告知する。そうやって、特定のクライアントに依存しない状況を、少しずつ、少しずつ、構築できるようになる。

　私の妻は富山県出身だ。同県では薬売りが有名である。彼らは自営業なので退職金がない。代わりに、顧客名簿・常連名簿を次世代に販売し、その対価を退職金にしていたという。また江戸商人は顧客リストを耐水性のある紙と墨で書き、もし火事でもそれだけは死守するために井戸に投げ入れた。**命の次に重要なのは名簿だったのだ。**

お金をもらって勉強する

　また、フリーランスに必要なのは日ごろの勉強だ。組織に属していないと、特定の個人しか付き合わなくなる。情報もおのずと限られてくる。企業では、嫌な仕事をさせられる。フリーになったら、選択すれば、嫌な仕事をしなくてもいい。ただ、嫌な仕事をする過程で、思わぬ人たちと出会うし、必要にかられて学んだ知識がその後に役立つ場合がある。

フリーは、本業以外でも学んでおかないと、自分だけが時代に取り残される。ちなみに、『浦島太郎』という奇妙な昔話がある。海辺で助けた亀に連れられて竜宮城に向かい、帰って玉手箱を開けたら白髪のお爺さんになるあれだ。幼いころ、まったく意味がわからなかった。しかし、あとで解釈を聞いた。あれは、甘い言葉に誘われて遊んでばかりいると、気づいたときには加齢してしまっているという意味だそうだ。

フリーあるいはフリーに近い立場の人は、常に浦島太郎にならぬよう気をつけるべきだろう。コロナ禍が明らかにしたとおり、栄華を誇った業界が、次の日にはダメになるかもしれない。フリーの仕事領域も更新していかねばならない。

ただ、人間は弱いものだから、自発的な勉強は長続きしない。そこで私が考えた方法を紹介したい。これは某経済学者の方が「わからないことがあれば、本でも書いてみればいい」と述べていて、衝撃を受けたのがきっかけだ。それは、お金をもらって勉強すること、である。

私はコンサルタントの傍ら、個人的な塾を続けている。受講料を取る。コロナ禍では、オンラインで実施していた。その塾で話すのは、専門的な内容で、話す内容は前回の参加者からアンケートをとって決めている。

なかには私の知らない内容もある。だから、必死で勉強するしかない。内容がつまらなかったら、次回から誰も来てくれないので、直前まで資料集めや資料作成を行う。その過程で、世の中のニーズや、企業の取り組みもわかる。受講者の反応からニーズとマッチしているかもわかるし、一人ひとりに話を聞けば実態も調査できる。

結果、それが次のコンサルティングにもつながる。それ以降の流れは前述したとおりだ。私の経験談を、自分はコンサルタントじゃないから、と思ってはいけない。重要なのは、お金をもらって勉強する点と、そして、情報を集める仕組みを自分で持つ点にある。

条件明確化の勇気

なお、業務委託時に、発注側、フリーともども下請代金支払遅延等防止法（下請法）を意識する必要がある。規模が大きく違う企業間や、あるいは個人への業務委託時には、発注時点から条件を明確化したり、書面を発行したり、支払期日を明示化する必要がある。

私はかつて製造業で働いていた。製造業では、下請法は比較的に遵守されている。発注側として口頭指示などをしたら怒られ、処分されたものだ。私はその後に、小売業やメディアなど、さまざまな業界で仕事をするようになった。コンサルタントとして触れ合う機会もあったし、メディア企業から業務を受託する機会もあった。

驚いたのは、少なからぬ企業が下請法の存在を知っていても、守っていない点だった。たしかに、業務「委託」かどうかは微妙なケースもある。明確な場合であっても、最初から対価を教えてくれないケースがある。さらに範囲も曖昧で、増額してくれないのに、「あれも、これも」と仕事量が増えるケースもある。

さらにやっかいなのが、仕事であるかもわからない点だ。以前の節で書いたとおり、さんざんと取材を受けて、データまで提出させられ、報酬はまったくなしの経験もある。よく全国版の新聞などに載ると、それを見た方から仕事が来るのではないか、という人がいる。しかし、考えてみてほしい。記事のなかに少しだけ「〜と○○氏は語る」と書かれていただけで、その人を調べて仕事を依頼した経験をもっているだろうか。ないはずだ。

そこで、法律論は別としても、仕事を依頼された初期段階から、この仕事はいくらで納期はいつで範囲はどこまでかを明確にする癖をつける必要がある。私にインタビューしたことがある人はおわかりのとおり、このインタビューの対価はいくらかをかならず明確にしてもらうようにしている。

某有名な外国誌からインタビュー依頼があったとき「社内規定でお金は支払わない決まりになっています」とあったので「社内規定で対価のないインタビューは受けない決まりになっています」と返信した。

もっともこれも程度問題だ。どうしても自分が掲載されたい媒体には金銭は無用かもしれない。あくまでバランスの問題だ。ただ、私が言いたいのは、明確化を要求する勇気だ。

目の前の仕事は不要であると宣言を

ちょっと変な表現だが、自分自身への尊厳を持ってほしいとフリーランスに感じる。

たとえば、自分の車が傷つけられたら怒る人は多いと思う。自分のスマホが割られても怒る人は多いだろう。しかし、驚くことに、自分の心を傷つけられても、愛想笑いでごまかす人は多い。車やスマホよりも自分の心が大切なのに。

私は社員に、こちらの尊厳を傷つけられたら、激怒して席を立つように言っている。これは冗談ではないのだ。たとえば、自社の社員が取引先から罵倒されていたり、皮肉を言われていたりするのに、隣の上司がヘラヘラしていたらどうだろう。きっと、取引先よりも、自社にやるせない思いが充満するはずだ。きっと社員は辞めるだろう。

個人事業主でも、あまりに理不尽な仕打ちを受けたり、納得できない発言を浴びせられたりしたら、すぐさま席を立ってやるくらいがいい。目の前の仕事に拘泥するから、相手をつけあがらせる。そのような仕打ちを受けるためにあなたは独立したのだろうか。違うはずだ。相手にも緊張感をもってもらい、こちらも当然の倫理観と常識をもって仕事を進めるのが当然のはずだ。

それに、仕事を受ける側がペコペコしていると勘違いをする発注側のバカ者は後を絶たない。そんな仕事なんて要らない、くらい言うべきだ。そうではないと、いい仕事もできない。

逆の立場になって考えてほしい。交渉相手が「あなたの仕事がないと死んでしまいます」という相手か、「あなたの仕事なんてなくてもかまいません。でもお役に立つなら全身全霊をかけますよ」という相手。どちらが良いだろうか。少なくとも私は、後者を選ぶ。**相手に緊張感を与えてほしい。こちらも真剣なのだから、当たり前だ。**

そこで私がやっている習慣を共有したい。私は、できるだけ確度（受注できる確率）の高い案件しか先方に出向かない。それは当然で、なぜならば、私に仕事をくれる顧客に全力投球したいからだ。とはいえ、流れで、どうしても時間を割く必要がある機会もあるはずだ。そのときには、英語の授業で習った、次の4W2Hを確認することを強くお勧めしたい。

●What
●Who
●When
●Where
●How
●How Much

つまり、**「何が必要なんですか」「誰が決定権者なんですか」「いつ必要なんですか」「どこで必要なんですか」「どのような手段で必要なんですか」「いくらで必要なんですか」**だ。抽象的ではわからないから、具体的に述べる。

たとえば、あなたがイベント企画業だとする。客先から「まだ発注先を選定している段階だ。現在、イベントを開催しようとしている。そのイベントの提案を出してほしい」と言われたとする。企画書を書くのは膨大な時間が必要だ。しかし、採用するつもりもないのに、企画書を提出させようとするクライアントは多い。

そのときに、上記の質問を当てはめるのであれば、次のようになる。

▼「何が必要なんですか」

概要でもかまわないので、具体的にどのようなイベントを開催し、何が達成したいと考えているのか。

▼「誰が決定権者なんですか」

イベント像は、目の前の交渉者だけの考えなのか、あるいは全社で承認された考えなのか。もしハッキリしなかったら、上位者は誰なのか。その上位者にヒアリングしても良いか。

▼「いつ必要なんですか」

その企画書を提出するべきタイミングは、「可能ならこの時期にほしい」「締め切り」「遅れてもここまでにはほしい時期」、それぞれを理由とともに質問しておく。

▼「どこで必要なんですか」

場所はどこで開催するべきか。

▼「どのような手段で必要なんですか」

リアルイベントなのか、テレビ会議システムを使った手法なのか。またはそのほか手段か。そして、その手段を取りたい理由は何か。

▼「いくらで必要なんですか」

予算や目標費用。逆に、その費用で収まるような提案は可能か。

できれば、この4W2Hを軽やかに質問してほしい。重く聞けば、尋問のようになる。あくまでも、協力したいので、できるだけ齟齬のないのように緻密に聞きたい、という姿勢を前面に押し出すべきだし、実際に、その気持は間違いがないはずだ。

さらに可能ならば、そのタイミングで聞き出した内容で間違いがないか質問してほしい。それで正しいのであれば、論理的には、それを満たす提案をすれば受注できる。

私はあえて「論理的」と言った。その理由は、現実的には、他社（者）に注文することが決まっているものの、当て馬としてあなたを呼んだ可能性もある。ほかの価格が知りたいといった理由だ。なかには提案を比べて、自分がもともと発注を決めていた側の妥当性を確認したいだけの場合がある。

私は調達側として、本気で検討するつもりがないならば、そもそも呼びつけたり、提案書や見積書を依頼したりするべきではないと信じている。先方の時間は有限だからだ。そこで4W2Hを再確認したあとに、率直に聞いてみるといい。「これを満たしたら、私に仕事が来ますか」と。困惑した表情を浮かべ、「そうですねえ。総合的に比較したいと思います」と言われたら、「できれば教えて下さい。すでに本命の会社があるのでしょうか」と続けよう。

これ以降は、感覚論となってしまうものの、相手の本気度がわかれば、提案書や見積書を提出するべきか判断できる。脈なしと思ったら、両社のために、提出を断るべきだろう。もちろん礼節をもって丁寧に話せば禍根を残すことはない。**使わなかった時間は、本来あなたを必要としている人のために使えばいい。**

番外編：アーティストはどうするか

ところで、前述のとおり、多くのライブハウスは定義上「飲食店」として許可を取っている。ライブハウスの生き残りアイディアについては、前に少し触れたが、そこで演奏するアーティストたちは、まさにフリー＝自由業の方々が多い。

もし、音楽が好きだという人がいたら、あなたは根源的なグローバリストであると認識したほうがいい。なぜならば、音楽は世界的な文化の影響の積み上げでしか成り立たないからだ。日本のグループサウンズは英国のロックに影響を受けており、そのロックは米国のブルースに影響を受けており、そのブルースは……という感じだ。単一国だけの文化ではない。

私が思う限り、音楽は、階層を取り払う力がある。ロック好きには、金持ちもおり、貧乏人もいる。文化は特定の層だけのものではない。社会人・大学生もいれば、ドロップアウトした人もいれば、金持ちもいる。しかし、演奏の前では、全員が平等なのだ。その舞台でもあるライブハウスは、濃厚接触ゆえに自粛を余儀なくされている。復活はするだろうが、密集しながらのライブはまだ難しい。あとは、音源などを売るしかない。

トップ1％のアーティストは大手メディアと組んでライブの特別配信やらの稼げる手段がある。ただ、残りの99％は困窮する状況だ。私は経営コンサルタントだが、ずっとアンダーグラウンドミュージックに多大な影響を受けてきた。好きなものを救いたいと考えている。

ある方からは「しょせんライブハウスのようなマイナーな場所で演奏するミュージシャンでしょ」と言われた。違う。有名なアーティストであっても最初はライブハウスからはじまる。Official髭男dismでも、King Gnuでもいい。スピッツだろうが、L'Arc~en~Cielでもいい。原点はライブハウスだ。ライブハウスがなくなれば、将来の文化や感動を消し去ることにつながる。

私の仮説では、高学歴ではないストリートワイズな奴らは、ミュージシャンかお笑い芸人を志す。崇高な思想はさておき、こういう時期は死んだら負けだ。なりふりかまわず、生き残り策を講じたほうがいい。まず、17LIVEでも、YouTubeのスーパーチャットでもSHOWROOMでもいいから、投げ銭ライブをやること。

それで、ライブ配信できるＺｏｏｍでもいいから、個別サービスを開始しよう。たとえばミュージシャンならば、チケット購入者の名前を歌詞に入れて歌を唄う。それを一対一で配信する。数万円を払うファンもいるはずだ。お笑い芸人なら、ファンの一人だけに向けて漫才を配信すればいい。もっとも、それは「メディアのあちら側にいる」芸人の神秘性をなくす試みだ。しかし、１００人から神秘性を失っても、世界の人口は78億人いる。

Ｚｏｏｍの中継に躊躇するならば、ＵＲＬ限定公開でＹｏｕＴｕｂｅにアップロードしてもいい。ＳＮＳで困っている旨を伝えて、チケット代金回収サービスのＰｅａｔｉｘなどを使えば、ただちにできる。私はライブハウスでバンドがＴシャツを販売する際、「すぐさまクレジットカード、あるいは電子マネーを導入するべきだ」と伝えてきた。あんなのは、やる気になればただちにできる。

しかし誰もが「電波が途絶えたらどうする」などと言い訳ばかりで進まなかった。やっとアーティストが真剣に考えるようになってきた。故・忌野清志郎さんは名曲『ベイビー！逃げるんだ』で夢破れて廃業するミュージシャンを「レスポールが重たすぎたんだろ」と歌った。今ネットに武器はたくさんある。**商業ロックを見習って、生き**

残るためになんでもやろう。

第4章

人々が集まらない時代の経営術

第４章をまとめると

特定の手段に頼らず、自社努力で売上を増やす方法を模索しよう

オープンソースを使って見込み客リストを作るべし

マーケティングと営業は別モノ。リストを生かしてアプローチを

いろいろなサービスを利用し、販売方法＝武器を複数準備せよ

具体的な経営支援ツール

企業は常に顧客を保有しておかねばならない。当然ではあるものの、**売上高＝客単価×客数**で決まる。もちろん、これを**売上高＝客単価×客数×頻度**、と書いても内容は同じことだ。〝客〟がいないところに売上は生じない。

企業によっては集客の経験がないまま事業を継続している場合がある。下請け仕事などが多く、発注元企業と一蓮托生・運命共同体の道を選択した場合だ。そうなると、親事業者の経営に依存する。自社がどう頑張っても受注量は増えない。他社が受注している分を横取りするくらいしか方法はない。

経営側は、茨の道であっても、**なんとか自社努力によって売上が増える方法を模索することだ**。ほかの販売先を探したり、あるいは、一般消費者向けの自社商品を広く購入してもらったりしよう。

ところで、逆も指摘しておかねばならない。集客はしているのだが、集客を一つの手段だけに頼っている場合がある。これも危険だ。たとえば、eメールで集客している企業があるとする。これは指摘したとおり、開封率が劇的に下がっている。読者が飽きたのもあるし、もっと多いのは相手会社側のサーバーが自動的に削除してしまうケースもある。

これはeメールだけではなく、たとえばダイレクトメールにだけ頼っていても同じだ。コロナ禍では、郵便が運ばれない事態には陥らなかった。しかし、ダイレクトメールが運ばれなくなったらどうすればいいだろうか。また、ダイレクトメールの配送料が異常な高騰をしたらどうだろうか。これはすべての手段にありうる。

つまり、ここで凡庸な結論が一つ導ける。**特定の手段に頼ってはいけない**、という事実だ。また、**効果が劣るものもできれば継続してやり続けるほうが良い。**効果が高いものだけに一点集中していたら、その手段の瓦解が、自社の瓦解につながるからだ。

さらに、集客手段は経営者自身が真剣に取り組んでおくべきだ。トップの役割は、売り（収益）と出（費用）に注力すること。ちょっと抽象的なのだが、カチッと音が鳴るときがある。こうやって費用をかけて集客をして、人を集めて、費用をかけて商品を作って販売したら、利益が残る、と方程式ができあがる。これらパーツが上手くはまるとき、カチッと音が鳴る。

しかし、この方程式は企業によって異なる。どこかの企業がうまくいく集客も、自社ではさっぱりうまくいかない。試行錯誤するしかない。これから書いていく私の手法も、あくまで一例にすぎない。

いきなり大きく始めずに、ちょっとした費用をかけて、無数のテストを行う。個人事業なら月に10万円くらいから始めて、中小くらいならば数十万円をかけるくらいの範囲でやればいいだろう。そして、上手くいきそうであれば、勝負に出る。**勝負といっても、倒産しては意味がないので計算は必要だ。**

▼❶-1　BtoBの見込み客リスト作成

とにかく見込み客を集めなければならないと説明した。業界によって有効なツールは変わってくるが、まずは具体的に、見込み客を集めるツールを説明したい。

日経テレコン

日本経済新聞社が提供するデータサービスだ。とても役に立つ。各企業名で検索をかければ企業の新商品やサービスの記事を過去にさかのぼって検索可能だ。さらに役立つのは、「日経WHO'S WHO」（人事異動情報）で企業内部のキーマン情報までが検索できる点だ。部門や経歴までわかる。これがどれだけ私のビジネスに寄与したかは計り知れない。

なお、話は変わるようだが、大型図書館では新聞各紙の過去記事を検索可能だ。もし余力があれば、新規で取引をすることになった企業代表者の名称で調べてみよう。反社会的勢力とつながりのある場合は逮捕履歴が出てくるかもしれない。また、同じく図書館では官報検索も可能で、その代表者が過去に、企業の法的な倒産処理を行った場合も履歴が残っているはずだ。

KOMPASS

全世界の取引先が検索可能な、商工会議所や貿易機構を中心とするデータベースサイト。無料で使える。さらに都道府県ごとに検索することもできる。これで見込みのありそうな企業をリストアップすると良い。

大企業の調達窓口サイト

多くの企業では、新規取引先を募るページを有している。提案したいサービスや商品があれば、そこからコンタクトしてみればいい。いきなり商談は難しくても、テレビ会議などで、自社の動画などを紹介できる。

私たちの会社は、サプライチェーン・調達といった業務に従業している約1万4000人の会員を有する。彼らの意見では、提案があったら大部分は返信をするという。ただ、驚くほど、調達窓口サイトには提案がやってこないらしい。大企業が門戸を開いているのだから使わない手はない。

求人サイト

これも前述した。「コロンブスの卵」だ。あなたの商品やサービスを企業に売ると、その企業では誰が使用するだろうか。きっと想像できる部門名があるに違いない。その部門が好調だったら、この不況下であっても求人広告を出しているはずだ。

だったらその部門に売り込んだらいい。求人サイトでは、企業名や部門名、さらには住所なども公開されているケースが多い。私は、どうやったら新規の見込み客をつかまえられるだろうかと思案していた際に、別件で求人サイトを見て驚いた。自ら「うちは人手が足らないくらい好調ですよ」と教えてくれているのだ。

前述のとおり、さっそく私はクラウドソーシングでエクセルにリスト化してもらい、ダイレクトメールを発送し、高反応率を得た。

有価証券報告書

いわゆる決算書のことだ。大企業のそれは、金融庁のページ「ＥＤＩＮＥＴ」で閲覧できる。また、現在、上場企業であれば、自社ホームページのＩＲ情報として公開しているはずだ。この有価証券報告書をどう使うか。

これも発想で、検索エンジンを使用して、自社が展開するサービスを必要としている企業を探す。たとえば、私たちの会社の例でいえば、コスト削減のコンサルティングサービスを行っているので、「平成30年3月期決算短信　コスト削減」などで検索する。

某社の決算短信をそのまま掲載するわけにはいかないので、文面を変えるが、このような決算短信が見つかる。

「グローバル展開とコストダウン
当社は海外の事業展開に積極的に取り組んでおり、グローバルな流通経路の変革を目指しております。わずか数年前には、韓国と英語圏のみでしたが、現在では32カ国・24言語に広がるネットワークを持ち、今後もグローバルな展開を加速してまいります。
一方で、お取引先様を含めた社内外の体制はまだ未整備なところが多く、多言語化対応・製販が一体となったグローバル施策の展開が急務となっております。
また、××××領域におきましては、海外勢との競合のなか、競合相手と同じ価格レベルにするために2、3割程度のコスト競争力を図っていく必要があります。当領域におきましてはコストダウンを加速してまいります。付加機能によるお客様価値の最大化とともに、グローバルで繁栄する××××グループを実現していきます。」

こうなればしめたもので、私たちのサービスが求められているとわかる。あとはコンタクトをとって売り込めばいい。決算書は公開情報であり、かつ企業の課題認識が書かれている。

私の商品はあくまで一例であると理解してほしい。あなたはあなたのサービスや商品をずっと考え続ける。そして、どんなキーワードで検索すれば、課題意識をもつ企業に当たるかを試行錯誤してみるのだ。

CD・Eyes

東京商工リサーチが出すデータ集だ。これはもともと日本企業の「代表者・郵便番号・所在地・電話番号・設立年月」などを調べるものだ。しかし、それだけではない。企業の販売先や仕入先も検索できる。

たとえば、あなたのライバル会社を検索してみたらどうだろう。そうすると、彼らの販売先がわかる。商品ラインナップは異なるかもしれないが、もしかすると、あなたの商品を欲している企業群が出てくるかもしれない。

調達側も同じく、ライバル会社を入力してみよう。彼らに納品している取引先を検索できる。もしかするとそのなかには良質かつ品質に優れたサービスを提供する取引先候補が眠っているかもしれない。

また、決算情報を調べられる。上場企業ならば、前述の有価証券報告書で公表される。ただ、非上場企業の場合、調べるのは難しい。このＣＤ・Ｅｙｅｓでは数年分の売上高と最終損益が調査可能だ。販売先の与信調査としても重宝するだろう。

業界紙

マニアックな特集記事を読むのではなく、同業者がどのような広告を出しているかをチェックする。基本的に、ＢtoＢは決裁権者が複数にまたがる。夫か妻を説得すればば買ってくれる住宅セールスとはわけが違う。広告効果は見えにくい。中長期的に認知度を上げたり、あるいはイメージ向上したりさせるためには役に立つ。しかし、短期的な効果が目ないため不景気時には広告費用が削られがちだ。

ただ、その時代にあってもなお、ずっと広告を出し続けている企業は注目に値する。それは売り込み先という意味でもそうだが、むしろ、彼らがその広告からどのように集客しているのかを研究するのだ。コストが見合わなかったら絶対に広告を出し続けない。その裏側には、収益と利益をあげる仕組みが存在するはずだ。

そこで良いのは、実際に広告からコンタクトしてみることだ。そうすると、どのような資料を送ってきて、どのようにセールスを行うかがわかるだろう。タイミングも含めて学びになる。

ハウスリスト

これまでに名刺交換をした方々をリスト化する。展示会などでせっかく集めた名刺を放置しているケースは非常に多い。ためしに挨拶メールでもいいので送ってみる。あるいは動画の紹介、新商品の紹介でもいいのでコンタクトをする。

もはや相手を失念してしまっているケースもあるだろう。しかし、それでいい。何もアクションを起こさなければ売上があがる可能性は0％だが、やれば0・0001％であっても確率は上がる。

PDF

業務ノウハウを書いたPDFを配布する。もはや古典的な手法といえる。企業ブログ、Twitter、Facebook、ホームページなどで告知し、ダウンロードしてもらう代わりにメールアドレスなどを残してもらう。

これまで私たちは無数のレポートをPDFで発表し、それをホームページからダウンロードできるようにしている。その過程で気づいたことがいくつかあった。なお、以下、もっとも厚く紹介するのは、古典的とはいえ前述のものを含めてもっとも永続的な効果があった手法だからだ。やはり自社サイトにアクセスしてもらった方々の情報を備蓄しておくのは強い。

(1) 予防型ではなく解決型にすること

太らない食習慣を教えるのが予防型。太ってしまった体型をいかにスリムにするかを教えるのが解決型。圧倒的に解決型の反応がいい。目の前で困っている問題を解決する方法を教えてあげる内容を書く。BtoBならば、取引先を想像すれば、技術的あるいは業務上の困りごとがあるはずだ。その解決法を具体的に書いていく。難解な文章は要らない。幼稚でもいいので率直に書く。長い文章も要らない。要点だけを書けばいい。1日で執筆できるはずだ。考えてみてほしい。初めて閲覧したホームページにメールアドレスなどの個人情報を残すだろうか。私だったら遠慮したい。自分のコンテンツを誰もが読みたいと勘違いする。しかし、誰も読みたくない、くらいに思ったほうがいい。そう考えると、ハードルを少しでも下げるようなレポートタイトルや内容などを発想できるはずだ。

(2) 動画ではなく文字コンテンツが良い

現在、動画マーケティングが流行している。たしかに動画はわかりやすい。視覚的に説得できる。しかし、Ｂ to Ｂでかつ、プレゼントとして使う場合は反応が悪い。これは一般例というより、私たちの実例から導き出している。絶対ではない。ただ、会社案内とかサービス紹介は動画で良いものの、たとえば業務解説動画などは評判が悪いのだ。あるとき、お客の一人に聞いてみた。「音が出たら、職場で聞いてられないんだよ」といわれた。なるほど！　と私は納得した。私は大企業2社で働いていたが、職場でヘッドホンやイヤホンを付けて仕事をしても上司から怒られなかった。ただ、少なからぬ職場では、無礼者になるのだという。これは相手への想像力の問題だった。「でも、会社案内とかサービス紹介はいいんですか？」と聞く私に「ほら、ああいうのは短いし、多くの場合は字幕がついてんじゃん」と教えてくれた。現在、スマホで撮影して字幕をすぐに付記できる。ただ、２０２０年初めの段階ではＢ to Ｂならば文字コンテンツが良い、という結論になっている。

（３）結局はメールアドレスが良い

私たちの会社では、レポートをダウンロードしてもらう際に、どんな個人情報を残してもらうか議論を重ねた。当初は、名前・会社名・メールアドレス・電話・ＦＡ

X・住所から何から取得するべきだと強く主張する者がいて、実際にそうしていた。あまりダウンロード数が稼げないので、コンテンツを磨こうと志した。しかしあるとき、「もう電話番号なんて聞かないでいいんじゃないか」と私が提案した。FAXなんて聞いても、わざわざ連絡するか、と。さらに、最低限の情報だけ聞いて、そこに情報を流す。そして興味があったら先方からコンタクトしてくるはずだ、と。そして、「名前・メールアドレス」だけを聞くようにしたら、圧倒的にダウンロード数が伸びた。私は、全部のレポートを「名前・メールアドレス」だけに変えた。やはり全体が伸びた。あるとき、私は「メールアドレスだけにしよう」と提案した。反対が多かった。理由は、名前すら聞かなかったら「○○様、このたびはダウンロードありがとうございました」といったお礼メールが書けないからだ。しかし、それなら名前抜きで「レポートのダウンロードありがとうございました」だけでいいのではないだろうか。現在はLINEやメッセンジャーアプリなどで、先方の名前を書かないコミュニケーションも一般的になっている。そこでメールアドレスだけを取得するようにすると、さらに伸びた。何人かに聞いてみると、2項目以上の個人情報を残すのは気が引けるのだという。また、心理的なハードルだけではなく、入力の手間も問題らしい。また、私たちは、メールアドレスのみを収集するまでに、何が良いかを検討した。たとえば、現在はＬＩＮＥでつながってもらったほうがいいんじゃないかとか。やはり電話番号が貴重では、とかだ。ただ結局はメールアドレスに落ち着いた。ＢtoＣは違う。ただ、ＢtoＢであれば、いまだに多くのやりとりはメールで行われる。少なくとも、メールアドレスを全廃した企業は知らない。

（４）矛盾するようだが、ときにはメールアドレスも取得しないほうがいい

すべてのコンテンツやレポートにメールアドレスの入力を義務付けるのも危険だ。中身のクオリティがわからないので、躊躇する読者が多い。逆説的だが、もっとも自信のあるものをフルオープンにしておけば、違うコンテンツにはメールアドレスを残してくれる。私たちは、ＡＩを活用した業務改善について、具体的なソースコードまで付記して、そのレポートすべてを無料公開した。これは反響が大きく、多数のアクセスがあった。面白いことに、その下にはメールアドレスの入力が必要なレポートを掲げていたが、多くの方がそれもダウンロードしてくれた。さらに実験で、その下には、住所の入力も必須としたレポートを掲げた。あえて住所を聞く理由は、「これは紙の冊子なので、配送に住所が必要です」とした。すると案の定、住所を教

えてくれる人が多かった。これにより、私たちは紙のダイレクトメールも送付できるようになった。順番が逆だったら、まったく違った結果になったはずだ。

▼❶ー２ BtoCの見込み客リスト作成

私たちは個人向けに学習教材を販売している。そこでいろいろやってみた。個人の属性が明確なＬｉｎｋｅｄＩｎ（リンクドイン）広告やＴｗｉｔｔｅｒ広告、そしてポータルサイトの宣伝掲載、ＰＰＣ広告（検索連動広告）などだ。しかし、もっとも効率が良かったのは、Ｆａｃｅｂｏｏｋ広告だった。

これは時代の変遷があり、継続して効率的かどうかはわからない。ただ、原稿執筆時点ではＦａｃｅｂｏｏｋに絞って良いと思う。かつては、Ｆａｃｅｂｏｏｋの広告マネージャーは非常に使いにくかったが、今では改善している。またウェブサイトでいくつも解説しているものがあるから参考になるだろう。

そのＦａｃｅｂｏｏｋ広告の中に、「リード獲得」フォームがある。このリードとは見込み客のメールアドレス等を入手できるものだ。前節、ＰＤＦの欄で書いたように、レポートなどをダウンロードしてもらう代わりにメールアドレスを獲得する。

さらにカスタムオーディエンスの機能がある。これは、あなたがすでに顧客名簿としてもっている人と類似属性の人たちに向けた広告ができる機能だ。類は友を呼び、さらに、そもそも同じコミュニティのなかにいる場合が多い。またプロフィールの記載からも広告を出し分けることができる。

簡単な計算をしてみよう。一人のメールアドレスを獲得するのに500円かかるとする。この500円というのは、やや保守的に見積もっている。私たちのような特殊なビジネスで500円なのだから、うまくいけば100円台にまで下がる。

予算50万円で500円／人だから、1000人のメールアドレスを獲得できる。そしてメールでサービスを告知して1％の購入があったとする。そうすれば10人が買ってくれることになる。その10人の平均的な生涯価値が5万円だったとする。簡単に言えば、今後に支払ってくれるお金だ。もちろん売上と利益は異なるし、〝生涯〟というとき、100年なのか3年で計算するかどうかで結果は異なる。ただ、概算でいいので、試算してみればいい。そうすれば広告を出すべきかどうかを決定できる。

マンガ

なお、私が無数に試行錯誤したところ、BtoCでもっとも見込み客のメールアドレス獲得に役たったのはマンガだった。マンガを描けないと心配しなくていい。今ではクラウドソーシングでいくらでも書いてくれる。

私の場合、売りたい商品の架け橋となるように、内容の概要をマンガにした。簡単なシナリオを書いて渡すと、見事なラフ案がやってきた。20ページのマンガで30万円だった。当然だが、それが商品の解説マンガであってはいけない。自分自身を考えて、商品紹介のマンガなんてダウンロードするだろうか。あくまで、そのマンガだけでもじゅうぶんに読む価値があるように努める。

私が売りたいものは、そのあとの個人学習教材で、そのエッセンスをまとめた。マンガだけでも学習になる。ただ、人間とは面白いもので、もっと学びたい人たちが一定数いるものだ。その対象者がワンランク上の教材を購入してくれた。さきほどの計算と同じく、30万円の価値があるかどうかは、その後の商品に依存している。

その後の商品について、バックエンドと呼ぶ。言葉は悪いが、オトリ商品はフロントエンドだ。バックエンドを含めた計算が重要で、ある種の構想力が必要になる。

PR会社

また、ほとんどの会社はプレスリリースを書いたことがない。プレスリリースはときに有効だ。一瞬で自社を有名にすることができることもある。私は、新型コロナウイルスが猛威をふるった際に、即座に、購買行動の変化をまとめて、それをプレスリリースで発行した。検索エンジンで調べれば6万円くらいで、有名なメディアに連絡してくれるプレスリリース代行業者が見つかる。

「新型コロナウイルス」というキーワードは、これも言葉が悪いものの、時流に乗っていたために、ただちにメディアからの取材が殺到した。雑誌もあったが、もっとも影響力があるのは、やはりテレビだ。

そこで注意してもらいたいことがある。テレビは〝絵になるもの〟しか取材しない。絵とは、画像として面白いかどうかだ。だから、自分が出すプレスリリースが、絵になるかどうかを検討してほしい。

たとえば、新型コロナウイルスで、初期段階では中国が経済的にマヒしたため、中国からの資材がまったく入らなくなった。そのときにテレビのカメラが撮りたいのは、がらんとなった工場の倉庫だ。テレビからすれば、このニュースを流す際にいかにわかりやすい絵が撮れるか、が重要となってくる。

そのあとに、意外なものが売れた。室内トランポリン、楽器、机、増毛サービスやペット商品だ。運動不足解消のためにトランポリンが必要で、さらに部屋に閉じこもった中年は20年前を思い出して楽器を弾きたくなり、テレビ会議が盛んになったら自宅にミニ書斎が必要で、テレビ会議で自分の顔ばかりを眺めていると自分の薄毛に気づく——といった様子だ。

そのとき、あなたが「コロナ禍で増毛サービスの需要増」とプレスリリースを出せば、メディア的にはウケが良いはずだ。これに、あなたのビジネスが絡んでなければならない。そして、絵を撮れるような事前準備も必要だ。

私の場合は、朝の情報番組から取材が来た。私はコロナ禍で住宅着工に遅れあり、と書いた。中国からの食器乾燥機や、温水洗浄トイレ、換気扇が入らなくなっていたからだ。さらに、代品を仮置きしている現場の様子が撮影できるようにしておいた。これも、取材〝する〟側からすれば、当然のニーズといえる。

(1) 絵になること

（2）時流に合っていること
（3）主婦が興味あること

つまり、この3つを満たしている必要がある。もっとも（3）は極論で、そんなものを狙っていない企業の場合は無視していい。しかし、テレビに取り上げられたいのであれば無視できない。テレビは主婦のメディアだと、少なくとも作り手は思っている。住宅の食器乾燥機、温水洗浄トイレは、まさに主婦の興味領域だ。いまさらテレビや主婦にすり寄るのはバカげている、という意見もあるだろうから、それは尊重したい。あくまでも、全国区にしたい場合の参考例だ。

▼❶-3 BtoBのマーケティング

ここで、マーケティングと営業をこのように定義してみたい。マーケティングは、見込み客を自社に引き寄せること。そして、営業は契約を締結すること。もちろん、マーケティングで、そのまま注文してもらう場合もある。だから、その意味で完全に分離しているわけではない。タイミングによって、どこで注文をしてもらうか考えることが重要だ。

たとえば、水道管が破裂しているお客を相手にしているとしよう。彼らに、「まずは弊社のウェブサイトに来て下さい。その後に、営業が連絡します」というのだろうか。ただちに、サービスを売って欲しいに決まっている。あくまで時と場合によるのだ。

そこで、前項までで述べたリスト化のあとに、いかにしてマーケティングするかどうかを述べていきたい。

メールマガジン

いまだに多くの会社がメールマガジンを発行している。頭がいい人たちがやっているんだろう。だから、そういう場合は、効果があると思って差し支えない。ただし、開封率が低い。開封率を上げるためには、前述のように個人を前面に出す必要がある。

加えて、実利が一つでもある内容を目指すことだ。もっと言えば、「これは同僚に転送しなければならない」と思ってもらえるかが一つのキーとなる。単に笑えるだけでは、転送しない。それにあなたも転送したことはないだろう。だから、可能ならば、メールマガジンごとに相手先企業に一つの提案をすることだ。「こう行動してください」

「こう仕事の内容を変えてください」。つまり、相手の先生になるのが良い。

現在は、職種や業種がなんであれ、メンターにならなければならない。情報が過多だから、この人がいう情報は知っておきたい、と思わせる必要がある。その意味でノウハウを出し惜しみせずに、ひたすら訴えていこう。人間味とノウハウの組み合わせは最強だ。

ダイレクトメール

さらに、広告費を出し惜しみせずに、積極的にダイレクトメールを出そう。今では1通あたり100円以下でダイレクトメールが出せる。これまで試行錯誤したなかでもっとも効果が高いのがA4の両面カラー印刷の厚手大型ダイレクトメールだ。

そこで商品を売り込んで、そのままFAXか電話か、あるいは、メールで申し込んでもらう。ラクスルなどは、入稿もネット上でできるので利便性が高い。さらには、テンプレートも用意されている。

私が実践したなかで、効果があるのは次のとおりだ。

(1) どう役に立つのか明記

ダイレクトメールを受け取った社員は、その上司に相談する。たとえば「このツールを買ってみたいんですけど」だとか「このセミナーを受けてみたいんですけど」だとかだ。そのとき、そのツールやセミナーの特徴ばかりが書かれたダイレクトメールを見せられても説得力がない。そうではなく、その享受者がどのように変化するのか、具体的な利点を書くべきだ。

(2) FAX番号は大きめに

本書を読んでいる読者が若者だったら、ぜひシニアの気持ちをわかってほしい。文字が読めないのだ。これはもしかすると出版不況に苦しむ出版人も知るべきかもしれない。文字は大きめのほうがいい。キャッチフレーズも、そしてジョンソンボックスといわれる、囲み線のなかに入る文字も(ジョンソンボックスとは広告の要点を囲んでいる場所のこと)。さらに丁寧ならば、FAX番号を逆さ文字にしていてもいい。というのがFAXを送るときは、紙の向きが逆のはずで、それがお客には親切だからだ。さらに、FAXの申込用紙を書くのが面倒な可能性がある。私もこの問題とはずっと付き合ってきた。私は、この申込用紙に記入するという行為がなければ、もっと多くの商品を買っただろうと思ったものだ。私は字が下手くそで、さらに、スマホやパソコン全盛時代において、「手書きすること」自体に耐えられない。そこで「名刺を貼り付けてくれてもかまいません」と書いたら申し込み率がアップした。ノリで貼り付けてくれてFAXすればおしまい。これはメールで、自分の属性を書くよりも気楽なようで、思わず良い策を発見した。

(3) 期限を明確に

ダイレクトメールでは、オファー(提示案)の期限を明確にせねばならない。受け取って1週間くらいが期限設定としては良いのではないか、という結論になった。つまり、割引なのか、オマケなのかはともかく受付期間だけは明確にしろという意味だ。これも古典的な方法だと言える。しかし、実際にやってみても、期間を明確にすることの効果は大きい。おそらく、それは資本主義下での教育にも関わっているに違いない。私たちは、お金さえあれば、いつでも希求するサービスを受けられると信じている。しかし、目の前にあるチラシは、「期限を過ぎたら買えない」と述べているのだ。この不協和。それが購買に走らせるに違いない。

ところで、商品はずっと売り続けるつもりであれば、なかなか販売期間限定を打ち出せない可能性がある。私も同様に悩んだ。その場合、価格差をつけるのが一番良い。期間限定で安く購入できるようにする。というのも、この期間に買い逃した人が「やっぱりほしい」と思ってくれたとき、価格差を後悔しながらも買ってくれる。さらに副次効果として、「これからはセール中に購入しよう」と思うはずだ。そうなれば、次の期間限定価格を案内したときには、迷わず購入してくれる。

FAXDM

さきほど、チラシをまいてFAXで注文してもらう方式について説明した。ただ、そもそも送る媒体としてFAXもいまだ有効だ。正直に言えば、私はFAXでの広告について懐疑的だった。なぜならば、自分のコピー用紙やインク代を無駄にするようなFAXが届くのだ！　怒らないはずがない。「これ以降、配信中止を希望なさる方は、ご連絡ください」とあれば、怒りの文字で返信していた。

ただ、現在は、FAXを受信する前に、そもそも削除できる機能をもつFAX受信機がある。それでも、怒りのFAXは途絶えないが、それは真摯な態度で立ち向かえば、まだ利便性があるとわかってきた。

現在、ハウスリストを有している人は、FAXを送ってみるのも有効だ。さらに、FAX代行送付業者もいる。FAX番号をレンタルでき、さらに、1通あたりわずか数円で送付できる。中小零細企業が1万社にダイレクトメールを送ろうとすれば、かなりお金がかかるが、FAXDMならほとんどお金はかからない。

なお、FAXのDMをする過程で気づいた点は次のとおりだ。

(1) 黒い部分を最小限に

デザインなどを気にしてしまえば、かっこいいFAXができあがる。しかし、それは自社向けに1度、送付して確認してみるべきだろう。恐ろしく画像が潰れて、単に黒いトナーを無駄遣いするだけの可能性がある。そうなると、受け取った相手も心穏やかではない。「こんなに我々のコストを無駄遣いして」と予想以上に怒らせる可能性がある。だからできれば、大きな文字だけで訴えるのがいい。

(2) 「電子電話帳」は使える

「電子電話帳」とは、日本ソフト販売が販売しているもので、NTTのタウンページにFAX番号も載せている法人の番号を検索できるソフトだ。しかも、デジタルで記録できる。書き写す手間もかからない。これで拾って、そのままFAXすれば費用も抑えられるだろう。さらに、ＦＡＸ番号を公開している企業もあるから、これを組み合わせれば、いくつものリストを構築できるはずだ。

（3）過剰なくらいではないと反応はない

ただでさえ、いきなり相手の職場にＦＡＸを送っているのだ。普通のオファーでは見向きもしてくれない。そこで、極端なくらいのメッセージを与えるくらいでちょうどいい。あなたの商品でそれくらいの極端な提案ができるかどうかだ。これも想像力が必要だ、職場で働いていると、ピー、ガタガタという音がして、ようやく印字の終わった紙が凡庸な内容だったらどうだろう。そうではなく、「相手が売ってください」と頭を下げるくらいの極端なオファーが必要だ。

また、私は現在、メディア（テレビ、ラジオ）、ウェブ、紙媒体のすべてに連載を持っている。メディアは連載といわないので、レギュラーといったほうがいいだろう。日本人はメディアでの出演歴を権威と感じてくれるから、これを使わない手はない。

雑誌連載

雑誌への連載は、強いつながりのファンを獲得するのに向いている。ほかのメディアに比べて、自分の主張を文字で表現し、過不足なく伝えることができる。私はビジネス誌で連載を持っている。ウェブ媒体も含めると多い。

私は紙媒体では、「週刊プレイボーイ」「MONOQLO」といった雑誌で連載の執筆をしている。また、ウェブは、「幻冬舎plus」「東洋経済オンライン」「日経クロステック」などに連載している。世の中には、媒体がしっかりしているから、そこに書く私もしっかりしていると思ってくれる場合が多い。もちろんちゃんとしているつもりだが。

必ずしも、その後の仕事につながることのみを考える必要はない。原稿をいかに書くか。編集者とのやり取りは、それこそ勉強になる。ただ、結果として、仕事につながるケースがある。

では、どうやって雑誌連載などの仕事を取ればいいか。これは意外と思われるかもしれないが、売り込めばいい。編集部は常に面白いことを書ける新人を探している。だから、原稿でもプロフィールでもいいから送付すればいい。ここまで本書を読んでくれた方は勇気をもっているだろうから、確率を上げるように努力するだけだ。

あるとき、ネットメディアで「Ｙａｈｏｏ！ＪＡＰＡＮ」に次ぐアクセス数を誇るウェブニュースの編集長と話をした。「たとえば、佐賀（佐賀は私の出身であり、田舎という象徴にすぎない）に天才的な書き手がいるとしますよね。どうやって発掘するんですか？」の問いに対し、編集長の答えは「できません」だった。「ブログなどをやって、人気になれば口コミで私たちに広がるかもしれません。でも、そういう例はほとんどないんですよ。なぜなら、書き手は多くの場合、紹介ですから」だそうだ。「書かせてくれ、という売り込みも意外に少ないですよ」とも。

同じことを聞かされた。雑誌でも「こういうことが書けます。載せてください、といった売り込みはもうほとんどありません。やればいいのに」と某誌編集長から聞かされた。だから、ダメ元でやってみればいい。私も日ごろ、ダメ元で売り込んでいる。

メディア出演

ラジオ、テレビ、雑誌、出版が４大メディアといわれる。そのなかでも、接する数が多いために、やはりラジオとテレビは欠かせない。出版ではなかなか１万部以上は売れない。とはいえコアな読者を掴むためにやったほうがいいのは前述のとおりだ。ただ、ラジオはその10倍もの人が聞いてくれる。さらに、テレビではその100倍、ときに1000倍の人が観てくれる。

記録を見てみると、はじめて私がラジオに出たのは28歳のとき。テレビは31歳のときだったようだ。私が専門家として呼ばれたときに、私を見たメディアの方が「あれ、先生はどこですか?」と言われたので若かったのは間違いない。前述のようにメディアで連載を持っているか、あるいは出版歴があれば強い。何よりも、重要なのは、時代性だ。さらに、くわえて、私が思う条件は次のとおりだ。

▼**時代性**:その人を取り上げたり、コメントをもらったりする時代性があるか
▼**社会性**:その人のコメントを取り上げ、社会がより良くなる可能性があるか
▼**独自性**:多くの専門家のなかで、その人を取りあげるべき独自性があるか
▼**娯楽性**:ぶっちゃけ、話がわかりやすいとか、見た目がよいとか、視聴者を不快にしないか

もっとも、こんなことまでやってメディアに出る必要性があるのか、といった疑問はもっともで、やるかどうか、結局は自分次第だ。ただ、現在メディアで「リサーチャー」と呼ばれる方々は、名前がリサーチャーなだけで、やっていることは、Ｇｏｏｇｌｅか Ａｍａｚｏｎで専門家を検索するだけだ。だから、ブログやＳＮＳなどで上位に上がる専門家は、その分、お呼びがかかる可能性が高くなる。さらに、現在では、Ａｍａｚｏｎ Ｋｉｎｄｌｅで電子の自費出版もできる。私もテストでＫｉｎｄｌｅのダイレクト・パブリッシングで書籍を発行しているが、それを見たメディア人から番組の出演依頼があった。

これまで書いてきた内容は一例にすぎず、もっと多くのメディア出演の方法があるだろう。事業をする以上は、リスクを恐れずにたくさん露出するのが良い。

販売方法論

では、ここからは具体的な商品、またはサービスの販売方法についても触れて行こう。これから挙げるのは、私が実際に活用し、有効だと感じたものだ。

また、外注するのは簡単だが、一度、自社でやってみることをおすすめする。自社がやったほうがスピードは速い。多くの業者は、書籍で学べることをやっているだけなので、実際に外注に任せるとしても具体的に指示が出せるようになる。また、外注価格についても交渉ができるようになる。

さらに、この分野は日進月歩でサービスが進化しているし、さらにサービスの種類も拡充している。数年前ならばPCとスマホの両方に対応するホームページを作成するのはやたら手間暇がかかった。しかし、今ではWixなどを使えば、すぐさま可能だ。

今使っているツールも最適かどうかわからない。ちなみに、販売手法については、調べるのが簡単で、実際に他社がやっている販売手法を真似してみればいい。面白いなと思ったらその手法を取り入れればいい。ツールが便利そうであれば、何を使っているか調べればいい。そのために、経営者はいろいろなサービスを使ってみることだ。ダイレクトメールも届いたら保存して、なぜ何通も送ってくるかを研究してみよう。

WordPress/Wix/STORES.jp/Square

ホームページを作成して何かを販売しようと思い、私自身も有名なサービスはほとんど自ら試行錯誤してみた。好みがあり、個々人に相性の合うサービスを使うのが良い。あくまで個人的な好みとしては、ホームページ自体は、WordPressかWixが良い。

使い道としては、WordPressで本体のホームページを作成する。そして、ランディングページをWixで作るのが良いと思う。Wixだけで作っても良いし、それならばデザインも作りやすい。スマホで閲覧する人に向けた画面調整もしやすい。Wixを使えば、パスワード付きの閲覧制限つきのページも作れるので、重宝するだろう。ただ、どうしても個々のリンクURLや動作の安定性に難があるため、私は作りわけている。

いっぽうで、クレジットカードなどの決済手法でアイテムを販売したい場合はSTOTRES.jpがもっとも操作性が良い。動画でもPDFでもなんでも販売できるし、リアルな商品も販売できる。銀行振り込み、コンビニ決済まで、ほとんど対応可能だ。問題となるのは、BtoBの場合は、どうしても請求書を発行してもらいたい、というケースがある。その際は、WordPressで作ったページから申し込んでもらうしかない。BtoBの場合は、悩ましいが両輪でまわすしかないだろう。さらにややこしいが、ネット上で請求書を出すケースはSquareがもっとも使いやすい。入金もスムーズだ。

あなたがリアルな場で何かを販売したいとする。そのとき、Squareとスマホがあれば、クレジットカードリーダーを装着するだけでクレジットカード決済も可能となる。

Peatix

また、イベントを開催したければ、集客から決済まではPeatix一択だ。個人向けのツールだが、イベントサイトの構築から、告知まで、すぐにできる。無料のイベントでも使える。

有料にはなるものの、集客のサポートもしてくれる。また、イベントに参加してくれた人は、次回のイベントにも参加してくれる可能性が高い。過去の参加者に絞ってメールを送ることができるのも魅力的な機能の一つだ。

ラクスル／メディアボックス

次に、チラシはまだまだ有効な媒体だ。メールで送付しても開封率が低い問題を取り上げた。ただ、紙で届けば、捨てられるかもしれないが、一度は宛先の目に触れる。

この領域ではランピーメールといって、受け取った人になんとか開封させるような工夫が研究されているので、参考書籍を買い漁るに限る。私も、通販関係の書籍を100冊近く読んだ。古典的な手法でいえば、封書をふくらませる方法だ。ペンを入れたり、オマケを入れたりして、興味をそそる。

これも時と場合によるので、実験を繰り返してほしい。控えめに1000通くらいのダイレクトメールを顧客に送付しようと思えば、10万円から40万円くらいになる。月に1度送れば、年間で120万〜480万円ほど。これを高いと思うか、安いと思うか。最初は高いと思うだろうが、練習して失敗を繰り返しているうちに効果が出てくる。

私たちの例では、封書に書類を詰め込むよりも、A4はがきの両面印刷が効果は高かった。これも、封書を開けずとも見てもらえるからだろうか。さらに私たちは、さまざまな文面をためし、文字を詰め込んだほうがいいか、大きな文字が良いかなどをテストした。結果で言えば、大きな差異は見られなかった。これはくだらない結論だが、形式うんぬんよりも、何を語っているかが問題になるからに違いない。

ダイレクトメールを送って、そこで商品を販売し、電話やメール、FAXなどで申し込みをしてもらう。ただし、あなたも毎日のようにダイレクトメール、投げ込みチラシを受け取っているだろうが、注文なんてするだろうか。これはいいね、と思って注文した経験を思い出してほしい。だいぶ前ではないだろうか。ただ、有名企業はやはり、ダイレクトメールが洗練されている。ベネッセ、ユーキャンなどのダイレクトメールが届いたら保管して研究してみるといい。

ちなみに余談だが、私たちの会社でもっとも効果のあったダイレクトメールは、A4ハガキの表面に私のメッセージを書いたものだった。「お願いがあります」と述べ、私が延々と新商品への意気込みを熱っぽく書いたものだ。常軌を逸していた。裏面に申込用紙を用意したところ、多くの方々に反応いただいた。もう一つは、A4ハガキの表面に「ここだけのお知らせです」とのみ、異常なほどの大きな文字で印刷した。裏面には5万円の有料セミナー紹介を書いた。これも相当な反応だった。ダイレクトメールの書籍を読めといったものの、矛盾するのだが、私の成功例として紹介した二例両方とも定石ではない。やはりこちらの熱意が伝わるということなのだろうか。

私は、いつもラクスルとメディアボックスを活用している。両社ともダイレクトメールの専門業者で、原稿を入稿するだけで、宛名まで印字してくれ、発送してくれる。

値段に違いはあるが、対応も良い。メディアボックスは届かなかった宛先についてリスト化してくれるから、次回以降の無駄なコストも抑えることができる。

お詫びと訂正／悲しいお知らせ

これから書くのも古典的だが、いまだに効果が高いものだ。ダイレクトメールでは、1万人に出して100人から注文があったとする。そうすると次に注文してくれなかった9900人に2通目を出すと、50人くらいから注文があるとされる。だから同じ内容であっても、注文はあるのだ。もちろん反応率は下がるとはいえ、上手くいったものは再利用する姿勢が必要だ。ちなみに、3回目を送っても、その半分の25人くらいからは注文がある。これは「半減の法則」と私が呼んでいるものだ。

ただ、単に半減したのでは芸がない。なんとか、反応率を上げることができないか。そこで、私が見つけたのが、「お詫びと訂正」だ。これはダイレクトメールでもいいし、メールマガジンのような電子的手法でもいい。文字どおり、前回に告知した内容にミスがあったと伝えるものだ。それによって再び告知する必然性が生まれる。単にミスを報告するというよりも、たとえば「ご購入いただいた方に特典を差し上げるのですが、前回に伝え忘れました」などとポジティブな内容が良いだろう。あるいは「メリットを伝え忘れました」とか。

さらに、お客との信頼関係ができているのであれば、「悲しいお知らせ」方法も使える。正直に言えば、これは私が知人から紹介を受けた方法だ。商品を販売し、あまり売れ行きがよくなければ、「悲しいお知らせ」のタイトルで、商品が売れていないことを率直に告白する方法だ。しかし、自分は商品の良さを信じているので、なんとか買ってくれないだろうか、と情に訴える。

ところで、コミュニケーションとはなんだろうか。私は「勇気」だと思う。あえて言ってみる、あえて表現することに、皮相的ではない交流が生まれるのではないだろうか。そこで、私は過去に、私の泣き崩れる写真を撮ってもらい、それを宣伝チラシに載せた。キャッチは「商品が売れずに哀しみにくれる坂口」とした。そこから、売れ行きの良くなかった商品を宣伝した。

たぶん、少なからぬ人は呆れたと思う。そして、しかしながら多くの人が笑ってくれた。面白かったよ、と感想をくれたり、やりすぎだろう、と褒めてくれたりした。そしてついでに、「そこまでやるなら買いますよ」と言ってくれた。

繰り返す、コミュニケーションとは勇気だと思う。

デジタル合同展示会

前述のとおりこのところ効果があったのが、同業者とともに実施したデジタル合同展示会だ。といっても、難しいものではなく、文字通りネット上での展示会だ。半日くらいを使い、数十分ずつのプレゼンテーションを行う。商品を自慢するようなプレゼンテーションなんて誰も聞きたくないから、役に立つコンテンツとする。

それは、「金属の研磨効率を上げる方法」でもいいし「物流効率を上げる方法」でもいいし、「最適なホームページの立ち上げ方」でもいいし、あなたの商品の便益を間接的に紹介できるもので、さらに、相手の悩みを解決するものが望ましい。

デジタルシフト

おそらく、ＪＲの経営は厳しくなるに違いない。というのも、今回のコロナ禍を経験したあとには、出張が「ほとんどなくても問題ないね」と企業は理解するはずだからだ。同様に、飛行機各社も厳しくなるだろう。海外へのビジネス出張も、大半が不要であると気づくはずだからだ。

また同時に、帰省の分散化が図られるだろう。日本では、年始からゴールデンウィーク、お盆、年末と、多くの国民が大移動を繰り返していた。しかし、コロナ禍のあとは、分散しても遠隔業務ができれば問題がない。むしろ、分散して休暇を取ったほうが企業全体としても平準化の意味ではメリットが大きい。

オフィスに集まる人の数は少なくなるだろう。会社＝カンパニーとは集まることだから、物理的な場所が完全になくなることはない。ただし、その集合率は下がる。ということは、一人に一つの机を与える必要はない。働く場所がオフィス、サテライトオフィス、カフェ、自宅と広がっていくならば、同じオフィス面積で、これまでの社員以上が働けると解釈すべきだろう。

もちろん、デジタルシフトを必要以上に喧伝する必要はない。しかし着実に、「本当にリアルな物質が必要なのだろうか」「これって、本当にお金を払う必要があったのだろうか」と再考する傾向にはあるだろう。だから、リアルからデジタルに、多かれ少なかれ移行するはずだ。

たとえば、会議は一斉に集まる必要はなく、テレビ会議で充分と理解されるだろう。

これは一例であり、誰かと誰かが一堂に会する必要性が薄くなる。少なくとも、必然性は議論される。また、交渉も必要最低限に絞られるだろう。これは新型コロナウイルスうんぬんではなく、不要だったので、なくせばいいだけだ。

また、テレビ会議で明らかになったのは、パワーポイントなどの資料は枚数が多かったら聞いていられない点だ。要点だけを語ってほしい。実際の会議では、大量の資料も聞いていられるが、テレビ会議では長々とした資料を見ていられない。集中力がもたない。

セミナーや講演もそうだ。私は、日ごろ講師を務める側として「できるだけ短い時間が良い」といっていた。しかし主催者側は、「お金は払いますから、長くしてください」という。だから、30分で話せることも、60分だとか90分に延ばしていた。不思議だった。同じ内容であれば、私などは短いほうが良いと思っている。私は、映画もドラマもドキュメンタリーも自宅では2倍速で見るような人間だ。しかし、お金を払っている側は、長いほど高いべきだと思っているという。

しかし、それもコロナ禍でだいぶ変化してきた。テレビ会議やウェビナーが中心になれば、画面の前で集中できないのもあって、短時間が主流だ。つまりデジタルシフトは、人間の価値観にも影響を及ぼしている。

オンラインをベースとし、リアルは値上げを

コロナ禍でたとえばライブはどうだろうか。観客は、何分の1で座ってもらうしかない。ロックなどのライブも、着席で飛沫感染を防ぐ必要があるだろう。それは疫学的というよりも、お客の安心を確保するためだ。ただ、同時にライブ配信もあり得ると本書で書いた。そうすれば収入が複線化するからだ。

しかし、デジタルシフトとともに、もう一つ、リアル側にも目を向けよう。つまり、ソーシャルディスタンスを保って会場に来てもらう人には10倍のチケット単価を払ってもらう。ゆったりとした空間であれば、10倍を支払う人もいるだろう。実際に、プロレスや格闘技のイベントで、観客数をしぼって、代わりにチケット代を上げるケースがある。つまり、デジタルが当たり前で、リアルは数が少ないためにプレミアムだという考え方だ。10倍は、私としては極端ではないと思う。ただ、何倍かは別問題として、客数が少なくなったからといって、そのまま収益減を甘受する必要はない。

10年以上前に、フリーの概念が生まれた。これは、デジタル商品などは、消費者が

10人でも10万人でも、コピーするだけだから、まずはフリー（無料）で味わってもらって、気に入ってくれたら有料課金に切り替えればいいとする考えだ。

たとえば、「Ｎｅｔｆｌｉｘ」の例を挙げるまでもなく、「初月は無料。翌月からは有料」の流れは定着している。いまＩＴサービスのほとんどは、フリーから有料課金に至る。消費者の財布を一度でも開かせるのは難しい。でも、初回無料であればハードルが下がる。だからこそ、このフリーモデルはＩＴの世界で急速に広がった。

現在は、ＤＸ（デジタル・トランスフォーメーション）という考えがある。これは厳密ではないが、会社自体をデジタル化する試みである。業務のやり方から、商品の提供まで、デジタライズ化していく。このデジタル化は、物理的な制約を外す試みだ。これまで半径50㎞しか営業できなかったところ、沖縄でも北海道でも、海外でもテレビ会議を使えば営業できる。

さらに、ＳＮＳとウェビナーを使えば、物理的・地理的な距離に関係なく集客できるし、彼らに自社紹介が可能だ。商品の紹介や、社員とのコミュニケーションもできる。地方にいる企業も、行動力次第では、すぐさま世界にアクセスできる。広告費を費やさなければ手間暇はかかるとはいえ、少なくとも世界に発信するのはタダなのだ。

しかも大掛かりな機器も不要で、スマホで動画を収録し発信すれば、翌日には全世界で周知されている可能性すらある。そこから導線を引き、自社商品に誘導すれば、これまでの枠を拡張するだろう。つまり、コロナ禍とは危機をチャンスに変える好機ですらある。

危機をただただ危機だと叫んでもなんら現状は改善できない。もし、運命論的に、危機なるものが意味あるものとすれば、好機としてしか——私は考えることができない。

最後に提案したいのは、**世界を実験場として捉えよう、**ということだ。世の中の無数の人たちが、さまざまな販売手法を繰り返し、そして成果が出たり出なかったりする。それを眺めるのだ。そうすれば、効果が良かった方法を、自分のためにテストしてくれていると鳥瞰できる。

よく販売方法について話すときに「この方法は効果がなかった。きっと無意味に違いない」と語る人がいる。きっとそれは半分正しくて、半分間違っているだろう。というのも、まったく効果がない媒体であれば、そもそも存続していない。きっと、マッチする企業もあるし、マッチする表現方法もある。

私たちにとって重要なのは、自社商品に合致する潜在顧客が集まる場所を見つけることだ。実際に、お客を観察してみればいい。どういう行動を取り、どういうときに取引を決定するか、購買を決定するか。そして、どのような悩みを抱えており、どのようなニーズを有しているか。難しい理論は要らない。人間を観察したり、自分自身だったら反応するだろうかと自問したりするのが重要だ。

そして運が良いことに、以前ならば広告代理店に依頼せねばならない仕事も、今ではネットさえあれば武器が用意されている。武器を手に取ろう。**大企業と比べて、中小零細・個人企業が優れているのは、そのスピードだけだ。**しかし、そのスピードによって試行錯誤すればきっと勝利は見えてくる。

中小零細・個人企業が市場に戦いを挑む。そこには既得権益者や大企業がひしめいている。そうすると、闘い方はいわゆるゲリラ戦だ。かつてゲリラは武器を違法取得していた。しかし今では、破壊力ある武器が、そこらに転がっている。

長すぎる「おわりに」

未曾有の危機は数年に一度は起きる

2019年の秋。テレビ愛知での収録が終わった18時。私たちは、ホテルで足止めをくらっていた。そのとき日本には未曾有の大型台風が襲来しており、新幹線だけではなく、交通網全般が停止してしまっていたからだ。東京に帰宅することができず、私はもう1泊することになった。

テレビ愛知のプロデューサーの配慮で、私はホテルで夕食をともにすることになった。運が良いのか悪いのか、私は、その番組でご一緒した大女優とテーブルを囲むことになった。きっと疲れていたのか、私はいつもよりアルコールを重ね、いつの間にか、その大女優と遠慮ない会話に至っていた。

「あら、よくお酒を飲むのね」と気遣ってくれた彼女に、私は「仕事の心配があって眠れないので、酒の量が増えました」と言った。「どんな心配？」「いえ、具体的に何がどうだ、というわけではなく、漠然と不安なんです」。私はコンサルティングを生業にしているが、いつ仕事がなくなるかわからない恐怖と対峙している状況を、おそらく素直に吐露したのだろう。

彼女は、ふふふ、と言って静かに前のグラスを傾けた。よせばいいのに、私は「私からすれば、芸能人のほうが異常ですよ。人気がどうなるかわからないのに、平気な顔で過ごしている」と言った。

彼女は「あのね。そんな常識的な人がこの業界にいると思う？　そんなこと気にする人は、ここに来ちゃだめ。そして多くはいなくなっていく」と、まるで、あらかじめ決められたセリフを読み合わせするように教えてくれた。そんなのは当たり前なのよ、坊や、と諭してくれたようにも思えた。大女優は輝きを放っており、私はその一瞬が、何か永遠のように感じられた。そして、その発言の端々に、多くの輝けなかった女優たちの刹那すらも感じさせた。

この世界は運に翻弄されながらも、それでも生きていかねばならないのだ、と語っているように思えた。

私はバカ者だから、成功者を語るとき、その背後にある敗北者たちの存在を失念している。なるほど、凡人である私は、凡人ではない人しか生き残らない世界に対して、同列の質問を投げかけた、というわけだ。

私は気づくべきだったのだ。彼女の語り口が優しいほどに、語り得ぬ偶然のなかで生き延びてきた僥倖を噛み締めていることに。実際、彼女は、そのあと若い頃に、たまたま街中でトップスターの芸能人と会い、番組出演が決まり、その後の活躍につながった奇跡を教えてくれた。

それらの話を終えると、彼女は、ふう、といい、虚空を見つめていた。あの沈黙のとき、私が彼女に声をかけたら、単なる笑顔ではない、なんらかの言葉を返してくれただろうか。彼女は何を考え、何を見つめていたのだろう。

アスリートたちの努力

私はあるとき、世界的なスポーツインストラクターの話を聞いて、衝撃を受けた。日本には会社が無数にある。上場している会社だけでも、3600社がある。取締役が

1社につき10人いるとすると、3万6000人だ。さらに、執行役員や部長に広げれば、1社あたり100人はいるかもしれない。そうすると、36万人を超える。日本の労働人口は6000万人くらいだ。しかも、これは上場企業以外で働く人も含む。そうすると、簡単ではないが、取締役や執行役員や部長になるのは、異常なほど難しいわけではない。大企業ではなくても同じだ。中小企業であれば、部長になるのはもっとたやすいかもしれない。

そして、その世界的なスポーツインストラクターは続ける。だから、アスリートに比べると、ビジネスパーソンの指導は簡単なんです、と。アスリートが食っていくために、どれくらいの努力をしなければならないか知っていますか、と。地域で一番になったくらいじゃダメで、日本、そして世界で一番になるくらいじゃなければ、ずっとメシは食えません。

皆さん、オリンピックを覚えていますか。銀メダルの選手は涙を流しますね。アスリートは世界の2位であっても、このままでは日本に帰国できない、と泣くのです。これがもっとも厳しい世界の常識です。

ところで、皆さんたち会社員は、日本で2位だったから悔しい、と泣いたことはあるでしょうか。——そう彼が語ったとき、私は自分の甘さに気づいた。

もっとも、冷静に考えたら、アスリートとビジネスパーソンを比較するのは無理がなくはない。競技人口もスポーツによって違う。トップになる確率といっても、だいぶ異なる。それに、飛び込み営業で体を酷使することと、スポーツ練習のどちらが高尚かなど決められるはずはない。

ただ、それでもインストラクターの言葉は私に響くところがあった。ビジネスパーソンならば、仕事をしていて、たまにサボったり、ダラダラと時間をつぶしたりすることがある。若い頃は、それなりに勉強をしていた人も、いつの間にかやめてしまう。昔に身につけたスキルや技能で、ずっと食おうとする人たちが多い。将来の戦略を考えることもなく、ただただ毎日をやり過ごすだけの人もいる。

凡人たちが生き残る世界

ビジネスパーソンは恵まれている。

芸能人のように、運と偶然に左右されることはない。客観的にいえば、前述の大女優は勉強熱心な人で、女優業の傍ら有名私立大学院に通い、先端の学問知識を得て自分の幅を広げていた。

それでも偶然のなかでスターが決まり、そして輝いている。その輝きを保てる人は一握りしかいない。なぜ、ある女性は輝き続け、ある女性はそのともしびを鎮めてしまうのだろうか。やはり運と偶然が支配している。

いっぽうで、ビジネスパーソンはアスリートのように、異常なほどの努力を重ねないと糊口をしのげないかというと、そうでもない。会社に入ってしまえば、なんとか生活はできるだろう。私は、凡人が生き残れるビジネスの世界にいることを幸せに思う。凡人であっても負けなければ良い、とはなんと幸運なことだろうか。

私は、あえて冒頭の言葉を繰り返したい。

「ある特定事業の売上が半分になったらどうしようか」
「ある特定顧客からの売上が半分になったらどうしようか」
「あるコストが倍になったらどうしようか」

私たちが考えておくべきは、このことだ。凡人はとっぴなことを考えたり、行動したりする必要はない。考えれば当たり前の平凡を常に心しながら、課題解決のためにコツコツやるだけだ。

何度か予想したように、新型コロナウイルスのような疫病や、あるいは災害は、きっと数年に1度は起きるに違いない。世界的な貿易が広がるほどに、スペイン風邪やペストが全世界にはびこっていった。グローバリズムの流れは止まることがない。情報の流れも加速している。とすれば、次の疫病は、より速いスピードで私たちに迫ってくるかもしれない。

日本人は忘却が美徳とされ、「喉元過ぎれば熱さを忘れる」と言ってきた。しかし、人間は改善と改良を重ねる生き物だから、コロナ禍から得た教訓を失念してはいけないはずだ。そのとき、やはり私が振り返りたいのは、既存の事業や顧客、コストといった経営上の変数が激変する際に、どんな手を打てたかだ。そしてその可能性を忘れずに意識し、次の惨事への備えとする。歴史から学ぶことは、凡人ができる最強の手段だ。

私が凡人だからといって、読者の大半をも凡人呼ばわりした失礼をお詫びしたい。と同時に、真実は、平凡とつまらない結論のなかにあるに違いないと思う。

経営とは、既存に満足ができない凡人たちのパルチザンである。

経営環境は変わり続け、ときに不自由を噛みしめることもある。
自由は、その不自由の果てにある。
万が一の事態を考え続けることは武器になる。
武器を持とう。
生き延びることは、最大の反撃だ。

1年仕事がなくても倒産しない経営術

2020年8月20日　第1刷発行

著　者　坂口孝則
発行者　千吉良美樹
発行所　ハガツサブックス
〒150-0021
東京都渋谷区恵比寿西1-15-2 401号
03-6313-7795
イラスト　Hama-House
デザイン　金井久幸＋髙橋美緒[TwoThree]
印刷・製本　シナノパブリッシングプレス

ISBN978-4-910034-02-7　C0034